De Colombus au 21ème siècle

De Colombus au 21ème siècle

Brève histoire de Cuba

Maison d'Editions Capitán San Luis
La Havane, Cuba, 2010

Traduction: **María Elena Silva**
Edition: **Martha Pon**
Dessein et réalisation: **Julio Cubría**
Sources consultées: **Institut d´Histoire de Cuba et Offce Nationale des Statistiques**

ISBN: 978-959-211-359-6

Maison d´Editions Capitán San Luis.
Calle 38 no. 4717 entre 40 y 47, Kohly
Playa, Ciudad de La Habana, Cuba.
Email: direccion@ecsanluis.rem.cu

« Un peuple n´est pas indépendant seulement lorsqu´ il est parvenu à secouer les chaînes de ses maîtres, il commence à l´être lorsqu´il s´est arraché les vices de l´esclavage battu, et pour le bien de la patrie et d´une vie nouvelle, il soulève et préconise des concepts de vie radicalement opposés à la coutume du servitude passée, aux mémoires de la faiblesse et de la flatterie que les dominations despotiques utilisent en tant qu´instrument de maîtrise sur les peuples esclaves ».

José Martí

TABLE DE MATIÈRES

INTRODUCTION

Essayer de parcourir l´histoire de Cuba dans quelques pages, est en plus d´une fantaisie, un exercice inutile. Notre histoire est tellement riche qu´il y a encore des périodes qui n´ont pas été suffisamment étudiées et moins encore abordées avec l´objectivité que les années fournissent aux spécialistes consacrés à ces affaires.

Avec ce bref parcours de principaux événements historiques classés en trois périodes: coloniale, néocoloniale et révolutionnaire, nous essayons de rapprocher le lecteur de manière très générale au long processus de formation de notre nationalité.

Ici vous pourrez trouver les principales caractéristiques géographiques de l´Île, ses 14 provinces et la municipalité spéciale de l´Île de la Jeunesse.

LES PREMIERS HABITANTS. ARRIVÉE DE COLOMBUS

Lorsque Christophe Colombus est arrivé à Cuba le 27 octobre 1492 et ses embarcations ont parcouru pendant quarante jours la côte Nord-est de l´Île, il a pu apprécier, à côté des charmes de la nature exubérante, la présence des habitants pacifiques et naïfs qui lui offraient du coton, filé et des petits morceaux d´or en échange des babioles.

Deux ans plus tard, en explorant la côte Sud de Cuba pendant son deuxième voyage, l´Amiral a constaté la diversité de ces habitants autochtones, car les aborigènes de la région orientale qui l´accompagnaient n´étaient pas en mesure de se faire comprendre par les habitants de la partie occidentale.

La population de l´Île s´était installée quatre millénaires auparavant avec l´arrivée de différents courants migratoires; les premièrs probablement en provenance du Nord du continent à travers la Floride, et les postérieures, arrivés par vagues successives depuis l´embouchure de l´Orénoque au large de l´Arc des Antilles.

Parmi les quelque 100 000 indigènes qui peuplaient l´île au début de la conquête espagnole, il y avait des groupes avec de différents niveaux de développement socioculturel.

Les plus anciens et arriérés- presque disparus dans le 15ème siècle- vivaient de la pêche et de la collecte et fabriquaient leurs outils avec les coquilles de grands mollusques. Un autre groupe, sans mépriser les coquilles, possédait des instruments en pierre polie, et de pair avec ses activités de collection, pratiquait la chasse et la pêche

Plus avancés, ceux qui provenaient de l´Amérique du Sud, appartenant à la branche araucane- étaient des agriculteurs, et avec leur culture principale, le manioc, fabriquaient la cassave, un aliment que pouvait non pas seulement être mangé sur le champ, mais que l'on p ouvait aussi conserver. Ils fabriquaient des objets et des récipients en céramique et possédaient une variété d´outils en coquille et en pierre polie.

Leurs maisons en bois et feuilles de palmier, guano, –les bohíos– regroupées dans de petits hameaux aborigènes, allaient devenir pendant plusieurs siècles un élément fondamental de l´habitat du paysan cubain.

La société coloniale

La conquête de l´Île par l´Espagne commence presque deux décennies après le premier voyage de Colombus, en tant que partie

du processus d´occupation qui rayonnait vers les différentes terres de la Caraïbe. Diego Velázquez, l´un des plus riches colons de La Española, a reçu le mandat de maîtriser le territoire cubain, ce qu´il a commencé en 1510 avec une opération prolongée de reconnaissance et de conquête, pleine d´incidents sanglants. Mis en garde sur les abus commis par les Espagnols dans les îles voisines, les aborigènes de la région orientale de Cuba se sont résistés à l´invasion espagnole, dirigés par Yahatuey o Hatuey, un cacique fugitif de La Española, qui finalement avait été emprisonné et brûlé vivant comme avertissement.

Avec l´établissement de Nôtre Dame de l´Assomption de Baracoa, en 1512, les Espagnols ont entamé la fondation de sept villes en vue de maintenir sous contrôle les territoires conquis –Bayamo (1513), la Santísima Trinidad, Sancti Spíritus et San Cristóbal de La Habana (1514), Puerto Príncipe (1515)– jusqu´à finir avec Santiago de Cuba (1515), désigné le siège du gouvernement. Depuis ces assises, que dans la plupart des cas ont changé leur primitive location, les conquérants ont commencé l´exploitation des ressources de l´Île.

L´activité économique a été basée sur le travail des indigènes, qui avaient été « rendus » aux colons par la Couronne moyennant le système de « encomiendas », une sorte de concession personnelle, révocable et non transmissible à travers laquelle le colon s´engageait à habiller, à nourrir et à évangéliser l´aborigène et avait en retour le droit de le faire travailler dans son profit. Le domaine économique prédominant dans ces premières années de la colonie à été l'extraction des métaux, notamment l´extraction d´or, activité où l´on a employé les indiens encomendés de même que quelques esclaves noirs qui se sont intégrés depuis très tôt au conglomérat ethnique que des siècles plus tard allait devenir le peuple cubain.

L´épuisement rapide de lavoirs d´or et la réduction drastique de la population y compris des Espagnols, enroulés en grand nombre dans les expéditions successives pour la conquête du continent- ont fait devenir l´élevage la source principale des richesses de Cuba. Face au manque d´or, la viande salée et les cuirs seraient presque les seules marchandises avec lesquelles les très peu des colons de l´Île pourraient s´incorporer aux circuits commerciaux du naissant empire espagnol.

Conçu sous des rigides principes commerciaux, le commerce impérial allait se développer sous la forme de monopole fermé régit par la Casa de Contratación de Sevilla, situation qui n´a pas tardé à éveiller les appétits jaloux des autres nations européennes.

Des corsaires et des flibustiers français, hollandais et anglais ont dévasté la Caraïbe, ont

Henry Morgan

capturé des navires et ont pillé des villes et des villages. Cuba n´a pas échappé de ces assauts, les noms de Jacques de Sores, Francis Drake et Henry Morgan ont maintenu en pied de guerre pendant plus d´un siècle les habitants de l´Île. Les guerres et la piraterie ont apporté aussi ses avantages. Pour protéger le commerce, l´Espagne a décidé d´organiser de grandes flottes qui auraient comme point d´escale obligé le port de La Havane, stratégiquement situé sur le courant du Golfe.

La périodique affluence des commerçants et des voyageurs, ainsi que les ressources destinées à financer la construction et la défense des fortifications que, tel le Château du Morro, protégeaient la baie de La Havane, allaient devenir une très importante source de revenus pour Cuba.

Les villageois des régions éloignées exclus de tels bénéfices, se sont tournés vers un lucratif commerce de contrebande avec les pirates et les corsaires, que de cette manière moins agressive trompaient le monopole commercial sévillan. Acharnés à étouffer de tels échanges, les autorités coloniales ont fini pour se heurter aux habitants, notamment ceux de la ville de Bayamo, qui avec le soulèvement de 1603, ont offert une évidence précoce de la diversité des intérêts entre « les gens de la terre » et le gouvernement métropolitain. L´un des incidents provoqués par la contrebande a inspiré peu de temps après le poème Espejo de Paciencia, (Le Miroir de Patience) document précurseur de l´histoire littéraire cubaine.

Aux débuts du 17ème siècle, l´Île qu´à l´époque comptait avec quelque 30 mille habitants, avait été divisée en deux gouvernements: l´un à La Havane et l´autre à Santiago de Cuba, quoique la capitale s´était établie sur la première ; lentement l´activité économique augmentait et se diversifiait avec le développement de la culture du tabac et de la production de canne à sucre. De manière échelonnée se sont établis de nouveaux villages, presque tous éloignés des côtes, les villes primitives grandissaient et on constatait le début des manifestations d'un style de vie plus aisé, la pratique des loisirs et des diversions fréquentes, tels que les jeux de salon et les bals jusqu´aux corridas de taureaux et les autels de croix. De l´activité religieuse qu´était de surcroît la note dominante de la vie sociale, ils nous resteraient d´importantes traces architectoniques, parmi lesquelles un échantillon magnifique c´est le Couvent de Sainte Claire.

La montée de la dynastie Bourbon au trône espagnol aux débuts du 18ème siècle, a apporté une modernisation des conceptions mercantilistes qui présidaient le commerce colonial. Loin de s´affaiblir, le monopole s´est diversifié et cela a eu un reflet sur la vie économique des colonies. Dans le cas de Cuba, cela a conduit à l´instauration de l´estanco del tabaco, (stagnation du tabac) visé à monopoliser l´élaboration et le commerce de la feuille aromatique devenue d´ores et déjà le plus productif volet économique de l´Île, au bénéfice de la Couronne. La mesure a été contestée par les commerçants et les planteurs, ce qu´a donné lieu à des protestations et à des soulèvements, dont le troisième a été violemment réprimé moyennant l´exécution d´onze vegueros (planteurs) à Santiago de Las Vegas, village située dans les proximités de la capitale.

Incapables de vaincre le monopole, les plus riches havanais ont décidé de participer de ses bénéfices. Associés à des commerçants péninsulaires ils ont réussi à sensibiliser le Roi et à obtenir son faveur afin de constituer une Real Compañía de Comercio de La Habana (Royale Compagnie de Commerce de La Havane)(1740), celle qu´ a monopolisé par plus de deux décennies l´activité commerciale de Cuba.

Le 18ème siècle a été le scénario des guerres successives entre les principales puissances européennes, que sur la scène américaine a eu une forte connotation commerciale. Toutes ces guerres ont affecté Cuba d´une manière ou d´une autre mais sans aucun doute la plus transcendantale a été la Guerre de Sept Ans (1756-1763), pendant laquelle La Havane a été prise par un corps d´expéditionnaires anglais. L´inefficacité des principales autorités espagnoles dans la défense de la ville a été en contraste avec la disposition combattante des créoles, exprimée surtout dans la personne de José Antonio Gómez, courageux capitaine de milice de la ville de Guanabacoa, décédé dans les combats.

Pendant les onze mois qu´a duré l´occupation anglaise- depuis août 1762 à juillet 1763–, La Havane a été le scénario d´une intense activité commerciale qui mettait en évidence les possibilités de l´économie cubaine jusqu´à ce moment assujettie par le système colonial espagnol.

Au moment de se rétablir la maîtrise espagnole sur la partie occidentale de l´Île, le Roi Charles III et ses ministres «illustrés» ont adopté une série des mesures favorisant le progrès dans le pays.

La première d´elles a été le renforcement de ses défenses dont son expression la plus haute serait la construction de l´imposante et très coûteuse forteresse de San Carlos de La Cabaña à La Havane; à celle-ci allaient s´ajouter de nombreuses constructions civiles, tel le Palais des Capitaines Généraux (de gouvernement), et religieuses, telle la Cathédrale, devenues des symboles du paysage havanais.

Le commerce extérieur de l´Île s´est élargit, en même temps que se sont améliorées les voies de communication intérieures et se sont encouragés le développement de nouveaux villages tels Pinar del Río et Jaruco. D´autres mesures étaient destinées à renouveler la démarche du gouvernement notamment avec la création de l´Intendance et de l´Administration des Rentes.

Dans ce contexte a eu lieu le premier recensement de population (1774) qu´a permis de constater l´existence à Cuba de 171 620 habitants.

Une autre série d´événements internationaux a favorisé la prospérité de l´Île. Le premier étant la guerre d´indépendance des Treize Colonies anglaises de l´Amérique du Nord, pendant laquelle l´Espagne- partie prenante du conflit- a autorisé le commerce entre Cuba et les colons soulevés. L´importance de ce marché de proximité serait mise en évidence quelques années plus tard, pendant les guerres de la Révolution Française et l´Empire de Napoléon, aux cours desquelles l´Espagne s´est vue affectée par un grave détriment dans ses communications coloniales.

Dans ces circonstances le commerce avec les «neutres», les Etats Unis- a été autorisé et l´économie de l´Île a augmenté de manière subite, soutenu dans la favorable conjoncture que pour les prix du sucre et du café avait crée la révolution des esclaves dans la voisine Haïti. Les fermiers créoles se sont enrichis et leur flamant pouvoir s´est concrétisé dans des institutions telle que la Sociedad Económica de Amigos del País (Société Economique des Amis du Pays) et le Consulta Real (Consultation Royale) ont fait viable leur influence dans le gouvernement colonial.

Avec Francisco de Arango y Parreño à la tête, ces puissants créoles ont su tirer profit de l´instable situation politique et une fois restaurée la dynastie bourbonienne en 1814, ils ont obtenu d´importantes concessions, à savoir la liberté de commerce, la libération du tabac et la possibilité de consolider légalement leurs propriétés agraires.

Cependant un progrès matériel si notable se fondait sur l´augmentation horrifiant de l´esclavage. A partir de 1790, dans seulement 30 ans, ont été introduit à Cuba beaucoup plus d´esclaves africains que dans le siècle et demi précèdent. Avec une population qu en 1841 dépassait déjà le million et demi d´habitants, l´Île abritait une société très polarisée ; entre une oligarchie de propriétaires fonciers créoles et de grands commerçants espagnols et la grande masse esclave, subsistaient les différentes couches sociales ou moyennes, formées par les noirs et les mulâtres libres et les blancs humbles de la campagne et des villes, ces derniers chaque fois plus niés à réaliser des travaux manuels considérés humiliants et plus adéquats pour des esclaves. L´esclavage est devenu une importante source d´instabilité sociale, non pas seulement à cause de fréquentes manifestations de rébellion parmi les esclaves –aussi bien individuels qu´en groupes- mais parce que le refus à cette institution a donné lieu à des conspirations aux buts abolitionnistes.

Parmi ces conspirations se trouve celle dirigée par le noir libre José Antonio Aponte, échouée à La Havane en 1812, et la connue Conspiración de la Escalera (Conspiration de l´Escalier) (1844), qu´a été étouffée avec une

sanglante répression. Dans la dernière conspiration ont perdu la vie de nombreux esclaves, des noirs et des mulâtres libres, parmi eux le poète Gabriel de la Concepción Valdés, Plácido.

Le développement de la colonie accentuait les différences des intérêts avec la métropole. Aux manifestations nettes d´une nationalité cubaine émergente, présentes dans la littérature et dans d´autres expressions culturelles lors du dernier tiers du 18ème siècle, il y aurait des tendances politiques définies qui proposaient des solutions parfois controversées aux problèmes de l´Île.

Le réformisme timide défendu par Arango et les créoles riches a trouvé sa continuité dans un libéralisme aussi réformiste représenté par José Antonio Saco, José de la Luz y Caballero et d´autres intellectuels liés aux secteurs cubains de grands propriétaires fonciers.

José de la Luz y Caballero

La rapace et discriminatoire politique coloniale maintenue par l´Espagne à Cuba à la suite de la perte de ses possessions sur le continent, frustrerait dans des occasions réitérées les expectatives réformistes. Cela a favorisé le développement d´un autre courant politique qui plaçait les espoirs de solution aux problèmes cubains dans l´annexion aux Etats Unis. Dans cette attitude convergeait aussi bien un secteur des fermiers esclavagistes qui voyaient dans l´incorporation de Cuba à l´union nord-américaine une garantie pour la survivance de l´esclavage étant donné le soutien qu´ils ont trouvé dans les états du Sud- en tant qu´individus animés par les possibilités qu´offrait la démocratie étasunienne en comparaison avec le despotisme espagnol. Les premiers, regroupés dans le Club de La Havane ont favorisé les démarches pour acheter l´Île faites par le gouvernement de Washington, ainsi que les possibilités d´une invasion « libératrice » dirigée par n´importe quel général nord-américain.

C´est dans cette direction qui s´est acheminé Narciso López, général d´origine vénézuélien, qu´après avoir rendu service dans l´armée espagnole s´est engagé dans les démarches conspiratives annexionnistes. López conduit à Cuba deux expéditions échouées, et lors de la dernière il a été capturé et passé sous les armes par les autorités coloniales en 1851.

Un autre courant séparatiste plus radical aspirait à conquérir l´indépendance de Cuba. Avec une parution précoce- en 1810 on découvre la première conspiration indépendantiste dirigée par Román de la Luz–, ce séparatisme atteint un moment d´élan lors des premières années de la décennie de 1820. Sous l´influence coïncidente de la lutte d´émancipation sur le continent et les trois ans constitutionnels en Espagne, ont proliféré dans l´Île les loges franc-maçonnes et les sociétés secrètes. Deux importantes conspirations ont avorté dans cette étape: celle de Soles y Rayos de Bolívar (1823), dans laquelle participaient le poète José María Heredia –figure sommet du romantisme littéraire cubain -et avant celleci la Grande Légion de l´Aguila Negra encouragé depuis le Mexique.

C´était aussi lors de ces années que l´indépendantisme trouvait son plein fondement idéologique dans l´ouvrage du prêtre Félix Varela.

Professeur de Philosophie dans le Séminaire San Carlos à La Havane, Varela a été élu député à la Cour en 1821 et il a dû échapper vers l´Espagne lorsque l´invasion des « cent mille enfants de Saint Louis » a restauré l´Absolutisme en Espagne. Résidant aux Etats Unis, il a commencé à publier le journal El Habanero dédié à la diffusion des idées indépendantistes.

Son effort, cependant, prendrait de longues années à fructifier car les circonstances, aussi bien internes qu´externes, n´étaient pas favorables à l´indépendantisme cubain.

Dans les années postérieures, la situation économique cubaine a expérimenté des changements significatifs. La production caféière s´est écroulée à cause de la politique douanière espagnole maladroite, la concurrence du grain brésilien et la rentabilité supérieure de la canne à sucre.

La production sucrière elle-même s´est vue obligée à accepter la modernisation de ses manufactures en présence de l´élan commercial d´Europe avec le sucre de betterave. Chaque fois plus dépendant d´un seul produit-le sucre- et du marché étasunien, Cuba avait besoin urgent de profondes transformations socioéconomiques auxquelles l´esclavage et l´exploitation coloniale espagnole interposaient de grands obstacles.

L´échec de la Junte d´Information convoquée en 1867 par le gouvernement métropolitain pour réviser sa politique coloniale à Cuba a supposé un coup accablant pour les espoirs réformistes frustrées à maintes reprises. De telles circonstances ont favorisé l´indépendantisme latent entre les secteurs les plus avancées de la société cubaine, permettant l´articulation d´un vaste mouvement conspiratif dans les régions du centre et de l´orient du pays.

LES LUTTES POUR L´INDEPENDANCE NATIONALE

Le mouvement a éclaté le 10 octobre 1868, lorsque l´avocat bayamais Carlos Manuel de Céspedes s´est levé en armes. Il était l´un des principaux conspirateurs, qui dans sa sucrerie

La Demajagua a proclamé l´indépendance et a donné la liberté à ses esclaves. Le soulèvement, appuyé peu après par les conspirateurs de Camagüey et de Las Villas, a réussi à se consolider, en dépit de l´impitoyable réaction espagnole.

Tandis que les Espagnols des villes, regroupés dans les corps de volontaires, semaient la terreur parmi les familles cubaines devenant un facteur d´influence sur les décisions politiques, l´armée coloniale avançait sur Bayamo- la tête de la rébellion, que les Cubains devraient abandonner, la réduisant en cendres avant de partir comme une expression de leur volonté révolutionnaire inébranlable. Dans des conditions si difficiles, le mouvement indépendantiste est parvenu à se réunifier, en adoptant à Guáimaro la constitution qui donnerait lieu à la República de Cuba en Armas (République de Cuba en Armes).

L´armée de libération cubaine, à la suite des mois d´apprentissage militaire, a atteint une capacité offensive qui se mettrait en évidence dans l´invasion de la riche région de Guantánamo par le General Máximo Gómez et les brillantes actions livrées dans les plaines du Camagüey par la cavalerie sous la direction d´Ignacio Agramonte. Mais

cet avance militaire s´est vu affectée par les différences politiques dans le camp révolutionnaire les mêmes qu´ ont conduit à la démission de Céspedes de son poste de Président de la République (1873) et qu´ ont empêché l´appui si nécessaire en armement et en moyens des patriotes émigrés. Une influence également négative avait eu la politique hostile vers les révolutionnaires cubains menée à bien par le gouvernement des Etats Unis, qui face à la lutte pour l´indépendance a préféré de s´attacher à sa vieille politique en étant sûr que la destinée de Cuba allait graviter sans défaut vers la maîtrise nord-américaine.

La poussée militaire cubaine a atteint son point le plus haut entre 1874 et 1875, d´abord avec la campagne de Máximo Gómez à Camagüey, marquée par les combats victorieux de La Sacra et Palo Seco et la bataille de Las Guásimas –où l´armée cubaine a écrasé une force espagnole de plus de 4 000 hommes– et l´ultérieure invasion à Las Villas de la part des troupes mambisas sous le commandement du génial général Dominicain. Mais le transcendantal avance stratégique a résulté dénaturé à nouveau à cause des différences et des dissensions intérieures qu´en empêchant l´arrivée des renforts si importants, ont provoqué la stagnation de l´invasion sans qu´elle parvienne à réussir dans son objectif de mener la guerre au riche territoire occidental de l´Ile.

L´affaiblissement de l´effort indépendantiste a coïncidé avec la récupération de la capacité politique militaire espagnole, lorsque la restauration de la monarchie de 1876 a mis fin aux violentes bouleversements qu´avaient caractérisé la vie de la péninsule après la « révolution glorieuse » de 1868 et l´ultérieure proclamation de la république.

Le défavorable tour du rapport des forces et le gaspillage dans le camp rebelle, ont favorisé qu´un important secteur du mouvement indépendantiste accepte les propositions de trêve du Général espagnol Arsenio Martínez Campos. La paix sans indépendance signée au Zanjón (1878) n´a pas eu le consensus des forces mambisas et notamment a été refusé par le Général Antonio Maceo, chef des forces de la partie la plus orientale de l´Île, qui en dépit de son origine humble, avait escalé la plus haute hiérarchie de l´Ejército Libertador grâce à son courage et à sa capacité combattante. Quoique les actions militaires insurrectionnelles n´ont pas pu se maintenir pour longtemps, la Protestation de Baraguá, joué par Maceo et ses troupes, qu´ incarnaient les secteurs les plus populaires du mouvement révolutionnaire, a constitué la plus grande évidence de l´irrévocable volonté des Cubains de continuer la lutte pour l´indépendance.

Dans la décennie de 1880, l´Île a traversé un processus de grands changements économiques et sociaux. L´esclavage déjà très affaiblie par la Révolution de 1868, a été finalement abolie par l´Espagne en 1886. Cela a été accompagné de notables transformations dans l´organisation de la production sucrière, qu´atteignait définitivement une étape industrielle. La dépendance commerciale cubaine en ce qui concerne les Etats Unis deviendrait presque absolue, et des capitaux nord-américains ont commencé à être investis de manière croissante dans les différents domaines de l´économie.

La bourgeoisie insulaire, éloignée des aspirations indépendantistes, avait donné lieu à deux formations politiques: le parti libéral, plus tard Autonomiste, qui reprenait la vieille tendance d´obtenir des reformes du système colonial espagnol jusqu´à atteindre des formules d´autogouvernement ; et le parti Union Constitutionnel, expression réactionnaire des secteurs intéressés dans la pleine intégration de Cuba à l´Espagne. L´indépendantisme, réaffirmé dans sa base populaire, serait encouragé surtout depuis l´émigration. Un premier éclat, la dite Guerra Chiquita (1879), a mené à nouveau les Cubains au champ de bataille dans les territoires orientaux et de Las Villas. Mais elle a pu être étouffée à la suite de quelques mois à cause de sa maigre organisation et sa faible cohérence politique. Elle serait suivie des débarquements périodiques, des conspirations et des soulèvements presque toujours dirigés par les chefs militaires de la Guerre de Dix Ans, des mouvements qu´ont été avortés ou réprimés par les autorités espagnoles étant donné leur incapacité d´articuler les actions avec un mouvement de masses large et uni. Celle-ci serait la tâche de José Martí.

Consacré depuis sa jeune adolescence aux idées indépendantistes, José Martí y Pérez (La Havane, 1853) a souffert la prison et le déterrement pendant la Guerre de Dix Ans. Ses liens avec des mouvements conspiratifs ultérieurs, lui ont permis de comprendre que la Révolution Cubaine devait être fondée sur de nouvelles bases programmatiques et organisationnelles, tâche à laquelle il s´est rendu totalement.

Doté d´une exquise sensibilité poétique et de brillantes facultés oratoires, Martí possédait aussi une profonde pensée politique, enrichie par l´expérience de ses années de vie en Espagne, aux Etats-Unis et dans de différents pays latino-américains.

Sa mission d´éclaircissement et d´unification, axée dans les cellules d´émigrés Cubains, notamment aux Etats Unis, mais avec une large répercussion sur l´Ile, s´est concrétisée en 1892 avec la constitution du Parti Révolutionnaire Cubain. Conçue en tant que l´organisation unique de tous les indépendantistes cubains, le Parti devait obtenir les moyens matériaux et humains pour la nouvelle entreprise émancipatrice et doter les chefs militaires de l´indispensable autorité politique pour déclencher la Guerre Nécessaire qu´a finalement éclaté le 24 février 1895.

Martí, qui avait débarqué à Cuba accompagné de Máximo Gómez, Chef de l´Ejército Libertador, mourait peu après dans l´action de Dos Ríos. En dépit de cette perte irréparable, la Révolution s´est développée dans la province d´Oriente, où Maceo –arrivé dans une expédition depuis le Costa Rica– avait assumé le commandement des forces mambisas, et s´est étendu plus tard au Camagüey et à Las Villas. Réunis à Jimaguayú, les délégués de l´Ejército Libertador ont élaboré la Constitution qu´allait régir les destinées de la République en Armes. L´assemblée a élu comme président le camagueyen Salvador Cisneros Betancourt et a désigné Maximo Gomez en tant que Général en Chef et Lieutenant Général del Ejercito Libertador Antonio Maceo respectivement. Peu de temps après, Maceo partait de Baraguá devant une colonne d´invasion qu´unie aux forces de Gómez qui les attendaient à La Villas devaient avancer sur l´occident de l´Île. À la suite des combats victorieux de Mal Tiempo, Coliseo et Calimete, le contingent envahisseur a pénétré la province de La Havane provoquant la panique aux autorités coloniales dans la capitale. Avec l´arrivée des forces de Maceo à Mantua, la ville la plus occidentale de Cuba, l´invasion accomplissait avec succès son objectif; la guerre faisait sentir ses effets dévastateurs dans toute l´Île, et les principaux domaines productifs ont connu un fléchissement brusque. Dans cette occasion, L´Espagne ne pouvait pas extraire de Cuba les ressources nécessaires pour combattre son indépendance.

Pour faire face l´insurrection généralisée, la métropole a désigné comme Capitaine Général de l´Île Valeriano Weyler, qui est arrivé à Cuba et a été soutenu par des renforts très nombreux afin de mener à bien une guerre d´extermination. Malgré le coût humain très élevé qui signifiait ce genre de lutte, surtout à cause de la concentration de la population paysanne dans les villes-, Weyler n´a pas pu contenir l´insurrection, la campagne de Gómez à La Havane et celle de Maceo à Pinar del Río maintiendraient en échec l´armée colonialiste.

Bien qu´en agissant dans de difficiles conditions, les forces mambisas recevaient avec une certaine périodicité les ressources de guerre envoyées par l´émigration de la part du Parti Révolutionnaire Cubain qu´uni avec l´armement arraché à l´ennemi, leur permettaient de maintenir leur capacité combattante.

En décembre 1896 a eu lieu le décès de Maceo lors du combat de San Pedro, et il est remplacé du poste de Lieutenant Général de l´Ejército Libertador par Calixto García, un autre brillant général de la Guerre de Dix Ans. Alors Gómez décide d'attirer l'attention sur lui des forces espagnoles, qu´ ont été soumises à une campagne de démolition et d´érosion au centre de l´Île. En laissant ainsi les mains libres à Garcia, qui livre des combats très importants à Oriente, et parvient à prendre des places fortifiées de Tunas et Guisa. Tandis, qu´en occident se produisent de milliers d´actions à moyenne et à petite escale. Le sort du colonialisme était joué.

Le développement de la Révolution à Cuba, vu avec sympathie croissante par le peuple nord-américain, fait que le 19 avril les deux Chambres du Congrès étasunien adoptent la Résolution Conjointe moyennant laquelle le gouvernement de Washington intervenait dans le conflit. Selon le document Cuba devait être libre et indépendante et les Etats Unis se retiraient de l´Île lorsqu´il y aurait les garanties d´un gouvernement stable. En cédant en partie aux pressions étasuniennes, l´Espagne octroie l´autonomie à Cuba, une mesure tardive qui n´aura pas l´effet attendu.

Il se produit alors- en février 1898– l'explosion du cuirassé Maine dans le port havanais, un fait que Washington prendra comme prétexte pour mobiliser l´opinion publique et pour intervenir directement dans la guerre.

Quoiqu'il admette formellement l´indépendance de Cuba, sans pour autant reconnaître ses institutions, les Etats Unis entre en guerre contre l´Espagne et avec la collaboration des forces mambisas, débarque ses troupes dans la côte sud de la zone orientale de Cuba. Les actions sont livrées autour de la ville de Santiago de Cuba.

La flotte espagnole est restée bloquée dans le port santiagais, essayant de sortir et dans la tentative elle est annihilée par la supériorité des forces navales nord-américaines. À la suite de l´assaut aux défenses extérieures de la ville par les troupes cubaines étasuniennes, le commandement espagnol prend la décision de se rendre. Un fait notable : les chefs militaires cubains, dirigés par Calixto García sont exclus de l´acte de reddition et l´on interdit l´entrée de ses forces dans la ville. Quelques mois plus tard, d´après le Traité de Paris, l´Espagne rendra Cuba aux Etats Unis sans avoir en considération pour quoi que ce soit les institutions représentatives du peuple cubain.

Occupation militaire de Cuba par les Etats Unis

Avec la signature du Traité de Paris, la situation politique de l´ancienne colonie restait indéfinie. Cuba cessait d´être colonie mais, l´établissement de la république ne se réalisait pas. On commençait la période de transition, par le truchement de la présence directe des Etats Unis dans l´aménagement des destinées insulaires.

Le premier janvier 1899, les Etats Unis prenaient formellement possession de Cuba. Il se concrétisait ainsi une ancienne ambition. Il s´agissait maintenant de définir l´avenir de Cuba, et n´importe lequel serait-il, le gouvernement de Washington considérait convenable la disparition des institutions représentatives du mouvement libérateur cubain.

A cela allait contribuer les faiblesses et les contradictions existantes parmi les Cubains, surtout, les divergences surgies entre Máximo Gómez, Général en Chef de l´Ejército Libertador et l´Assemblée des Représentants, organe politique maximal de la Révolution. Ces divergences notamment concernaient les procédures pour licencier l´Ejército Libertador.

Le résultat en a été la disparition de deux institutions, qu´avec la dissolution du Parti Révolutionnaire Cubain (PRC) suite à la décision de son délégué Tomás Estrada Palma, a désagrégé et laissé sans tête les forces indépendantistes.

L´occupation militaire, légitimée par le Traité de Paris du 10 décembre 1898, a constitué le cadre d´expérimentation pour la mise en application de la politique par rapport à Cuba. Pour les Etats-Unis celle-ci a été une période de fortes tensions , nuancées par des pressions internes et des négociations autour de la prise des décisions gouvernementales.

Parmi les facteurs qu´intervenaient dans l´instabilité cubaine se trouvait la manière dans laquelle envisageaient les problèmes du pays les secteurs que d´une manière ou d´une autre étaient intéressés dans sa solution. En dépit des efforts des groupes pacifistes des Etats Unis, la tendance annexionniste dans toutes se variantes s´ouvrait un espace chaque fois plus important dans les cercles de pouvoir. Cependant, il faut remarquer que dans chaque variante d´annexionnisme prévalait le concept plus ou moins péjoratif du soi disant « enfantillage » des Cubains. C´est à dire, la créature, en faisant ses premiers pas, ne pouvait pas s´en passer du bras fort du père qui le soutenait, l´aidait et le protégeait de possibles chutes.

L´une des solutions est arrivée à son expression maximale dans les derniers mois du gouvernement de John Brooke, premier gouverneur militaire de l´Île et consistait à faire la passation de la souveraineté de Cuba à un gouvernement civil qu´allait faire devenir Cuba, d´un coup, en territoire étasunien. Cette idée a pris force dans les milieux expansionnistes et les porte-paroles principaux.

L´opposition interne à cette variante et surtout le refus du peuple cubain à cette prétention a fait que le nouveau gouverneur, Leonard Wood[1], ait conçu l´idée d´ « américaniser » l´Île par le truchement d´une occupation prolongée. Cette idée a eu deux volets principaux. Le premier étant un large projet réformateur centralisé « depuis le haut » et en essence impliquait la transformation de la société cubaine (les écoles, le système de santé, le système judiciaire, le système de gouvernement, la mairie, etc.). La deuxième ligne d´action visait l´encouragement de l´immigration, notamment d´origine anglo-saxon, en vue de réaliser une colonisation graduelle que « depuis le bas » introduiraient les mœurs de la société nord-américaine.

Néanmoins, aucun de deux projets n´avait comme but de transformer les périmées structures de l´ancienne colonie espagnole

[1] Deuxième Gouverneur militaire. Il a occupé le commandement de l´Île à partir du 20 décembre 1899 jusqu´au 20 mai 1902

dans son passage vers l´indépendance, mais tout au contraire de créer les conditions pour l´encouragement d´un « marché à terre » favorisant que les politiciens, et le propriétaires fonciers du Nord s´ emparent des terres. Pendant ce temps, la pénurie des capitaux et des sources de crédit plaçait les propriétaires fonciers cubains dans une situation d´extrême désavantage pour le rétablissement de leurs affaires, surtout celles qui concernaient l´important domaine sucrier, très lésé par la guerre.

Cependant, la nécessité d´un changement de politique augmentait chaque jour et depuis une date si précoce que 1899, on a commencé à parler de la possibilité de l´annexion, non pas moyennant le prolongement de l´occupation militaire directe, mais à travers l´établissement d´une république sous des conditions déterminées. La soi disante incapacité des Cubains pour se gouverner eux mêmes les tournerait bientôt à demander de manière naturelle l´annexion au voisin si puissant.

La première pierre du bâtiment serait d´édicter les dispositions sur la convocation à l´Assemblée Constituante de Cuba, d´après la Loi militaire No. 301 du 25 juillet 1900. Selon ce qu´avait été prévu, la Convention devait rédiger et adopter une constitution pour le peuple de Cuba, dont une partie devait être dédiée aux relations qui devaient exister entre les gouvernements de Cuba et celui des Etats Unis . Au milieu des travaux de la Commission cubaine chargée d´édicter sur les futures relations entre

Cuba et les Etats Unis, le Congrès nord-américain adopte l´Amendement Platt, avec laquelle le gouvernement des Etats Unis s´abrogeait le droit d´intervenir dans les affaires intérieures de l´Île lorsqu´il le jugerait convenable.

En dépit de l´opposition des délègues à l´Assemblée Constituante, la pression nord-américaine qui plaçait les Cubains devant la disjonctive d´avoir une république avec l´Amendement qui limitait son indépendance ou de continuer l´occupation, réussi à adopter l´amendement adoptée par les Cubains le 12 juin 1901.

LES PREMIÈRES DÉCENNIES DE LA RÉPUBLIQUE NÉOCOLONIALE

Le 20 mai 1902 est établie la république néocoloniale. Son premier président, Tomás Estrada Palma[2], comptait avec le soutien des autorités nord-américaines en tant qu´un possible frein à l´ascendance du leadership militaire le plus radicale dans la vie politique du pays.

En même temps, le prestige d´Estrada Palma dans les milieux révolutionnaires l´a fait devenir l´un des candidats favoris entre les larges secteurs de la population cubaine. La désunion existante s´accentue lorsqu´il se

[2] Tomás Estrada Palma (1835-1908). Premier président de la république néocoloniale. Sa décision de se réélire en 1905 a provoqué un profond malaise parmi ses adversaires politiques et les divers secteurs populaires. Devant l´imminence de sa défaite, a demandé et a obtenu une nouvelle intervention militaire des Etats Unis à Cuba.

produit l´échec de la candidature proposée par Máximo Gómez, dans laquelle Estrada Palma serait le Président et Bartolomé Masó, qui avait été le dernier Président de la République en Armes, serait le Vice-président.

A ce premier gouvernement reviendrait la difficile, désagréable et ingrate tâche de formaliser les liens de dépendance avec les Etats Unis. A ces effets, on a signé une série des traités qui comprenaient celui de la Réciprocité Commerciale, qui garantissait aux Etats-Unis le contrôle du marché cubain et consolidait en même temps la structure de monoproduction de l´économie cubaine ; le Traité Permanent, qui donnait un caractère juridique aux stipulations de l´Amendement Platt et celui destiné à définir l´emplacement des stations navales nord-américaines.

La singulière austérité du président Estrada Palma lui a fait gagner un prestige d´honnête beaucoup plus consolidé par le toupet des ceux qui lui ont succédé dans la direction du gouvernement. Par contre, le président déjà assez âgé n´a pas pu se soustraire des ambitions politiques et s´est fait réélire moyennant des élections trompeuses laissant inaugurée une invariable tradition dans l´histoire de la République.

Le fait a provoqué un soulèvement de l´opposant Parti Liberal, déchaînant les événements qu´ont conduit à une nouvelle intervention nord-américaine. Pendant presque trois ans, 1906-1909, l´Île s´est maintenue sous l´administration étasunienne, période qui va contribuer à définir les traits du système républicain avec une curieuse combinaison de normative juridique et corruption gouvernementale.

Sous l´empire de l´Amendement Platt, les partis politiques constitués sur la base du caciquisme et les clientèles –notamment deux partis–, le Libéral et le Conservateur se sont disputés le pouvoir moyennant des pièges électorales et des émeutes insurrectionnelles.

Le butin du vainqueur était le trésor public, source d´enrichissement pour une « classe politique » qu´ayant en considération le contrôle croissant de l´économie cubaine par les capitaux étasuniens ne trouvait pas un autre domaine où mettre en application de manière profitable son talent. La démarche gouvernementale serait ainsi objet des scandales fréquents.

Pendant le gouvernement de José Miguel Gómez ces scandales ont été très fréquents. (1909-1913)[3], dont le déroulement serait d´ailleurs marqué par la répression impitoyable contre le soulèvement

[3] Major Général José Miguel Gómez (1858-1921). A accédé à la présidence le 28 janvier 1909, mettant fin à la deuxième occupation militaire des Etats Unis. Son gouvernement a été caractérisé par l´élan de la corruption politique et administrative et les crimes politiques.

des Independientes de Color un mouvement avec lequel de nombreux noirs et des mulâtres ont essayé de lutter contre la discrimination raciale, bien que sans une claire conscience de la manière de le faire.

L´aduste conservatisme de son successeur, Mario García Menocal (1913-1920)[4], n´a pas

suffit pour cacher la corruption, encouragée par la prospérité économique qu´a favorisé la Première Guerre Mondiale. Menocal est parvenu à se réélire à travers les procédures habituelles, ce qu´a provoqué une nouvelle rébellion des libéraux et les habituelles préparations interventionnistes des Etats Unis.

Les crises du système néocolonial

Le gouvernement de Washington, préoccupé par les fréquents bouleversements politiques de sa néo colonie, avait dessiné une politique de véritable tutelle- la dite diplomatie préventive- qu´ atteint son point le plus haut avec la désignation du général Enoch Crowder dans des fonctions de virtuel proconsul, afin de

[4] Général Mario García Menocal Deop (1866-1941). Troisième président de la république néocoloniale, a été le symbole de la montée de l´oligarchie néocoloniale au pouvoir. Il a conclu sa fonction avec une grande fortune personnelle et en processus de devenir gros propriétaire foncier.

surveiller et des fiscaliser le gouvernement de Alfredo Zayas (1921-1925)[5], dont l´administration serait le théâtre des mouvements politiques de grande transcendance.

Le refus généralisé à l´ingérence nord-américaine et la corruption gouvernementale ont donné lieu à de courants divers d´expression des revendications nationalistes et démocratiques.

Le mouvement étudiant manifestait un accentué radicalisme qui, vertébré dans le but d´une reforme universitaire, allait dépasser rapidement le cadre dans lequel avait surgi pour assumer des nettes projections révolutionnaires sous la direction de Julio Antonio Mella[6].

[5] Dr. Alfredo Zayas y Alfonso (1861-1934). Quatrième président cubain, son gouvernement est caractérisé par l´ouverte ingérence du gouvernement nord-américain et par une série des scandales publics en vue des mesures gouvernementales et des opérations financières qu´affectaient le trésor national au profit des intérêts particuliers des étrangers et des natifs.

[6] Julio Antonio Mella Mac Partland (1903-1929). L´une des figures saillantes du mouvement révolutionnaire cubain dans la république néocoloniale: fondateur de la Fédération d´Etudiants Universitaires, l´Université Populaire José Martí, la Ligue Anti impérialiste et le Parti Communiste de Cuba. Il a été assassiné en Mexi-

Le mouvement ouvrier, dont les racines remontaient aux décennies finales du 19ème siècle, avait suivi aussi un cours ascendant nuancé par les grèves- celles des apprentis en 1902 et celle de la monnaie 1907 parmi les plus importantes– que plus tard sont arrivées à constituer une véritable vague à cause de l´inflation générée par la Première Guerre Mondiale.

Le progrès idéologique et organisationnel du prolétariat, dans lequel se laissait sentir les échos de la Révolution d´Octobre en Russie, se concrétiserait dans la constitution d´une centrale ouvrière nationale en 1925.

De manière coïncidente et en tant qu´une expression de la conjonction des courants politiques les plus radicales du mouvement personnifié avec Mella et Carlos Baliño, sera constitué à La Havane le premier Parti Communiste.

Les malaises politiques et sociaux avaient des causes très profondes. L´économie cubaine avait grandi très rapidement pendant les deux premières décennies du siècle, stimulées par la réciprocité commerciale avec les Etats Unis et la favorable conjoncture créée par la récente guerre mondiale. Cependant cette croissance était unilatérale, fondée presque exclusivement sur le sucre et sur les relations commerciales avec les Etats Unis. D´autre part, les capitaux nord-américains qu'étaient

que le 10 janvier 1929, par des agents au service de Gerardo Machado.

arrivés à l´Île à un rythme montant étaient les principaux bénéficiaires de la croissance, car ils contrôlaient 70 pourcent de la production sucrière en plus de son infrastructure et des affaires collatérales.

Le bien-être économique dérivé de ce processus- dont sont le témoignage les opulentes maisons du quartier El Vedado, en plus d´être distribué de manière inégal, révèle une extraordinaire fragilité. Cela a été mis en évidence en 1920, lorsqu´une brusque chute dans le prix du sucre a provoqué un crack bancaire qu´a fini avec les institutions financières cubaines. Peu après, lorsque la production sucrière du pays atteignait les 5 millions de tonnes, il s´est fait évident la saturation des marchés, un indice net que l´économie cubaine ne pouvait pas continuer à grandir sur la base exclusive du sucre. Le choix était la stagnation ou la diversification productive, mais cette dernière alternative n´était pas possible, car la monopolisation des latifundia de la terre et la dépendance commerciale des Etats Unis ne le permettait pas.

La montée de Gerardo Machado[7] à la présidence en 1925 représente l´alternative de l´oligarchie face à la crise latente. Le nouveau régime essaye de réconcilier dans son programme économi-

[7] Général Gerardo Machado Morales, président de la république entre 1925 et 1933.

que les intérêts des différents secteurs de la bourgeoisie et du capital nord-américain en offrant des garanties à la stabilité des couches moyennes et de nouveaux emplois aux classes populaires, tout cela combiné avec une sélective mais féroce répression contre les adversaires politiques et les mouvements d´opposition.

Sous l´auréole d´efficacité administrative, le gouvernement a essayé de mettre des limites aux luttes entre les partis traditionnels, en garantissant le bénéfice budgétaire grâce à la formule du coopérativisme. Avec le consensus qu´il a eu, Machado a décidé de reformer la constitution pour se perpétuer dans le pouvoir.

Malgré les succès partiels atteints pendant les premières années de mandat, la dictature machadiste n´a pas réussi à taire la dissidence des politiciens exclus et moins encore à écraser le mouvement populaire. Harcelées par les excès commis par le régime et la rapide détérioration de la situation économique sous les effets de la crise mondiale de 1929 les forces ont montré une belligérance croissante. Avec les étudiants et le prolétariat comme des supporteurs fondamentaux, l´opposition à Machado a déchaîné une succession interminable des grèves, des tentatives insurrectionnelles, des attentats et des sabotages.

La dictature a répondu avec une augmentation de la répression qui´ est arrivée à des niveaux intolérables. En 1933, le chancelant régime de Machado était sur le point de donner lieu à une révolution.

Alarmée devant la situation cubaine, la toute neuve administration de Franklin D. Roosevelt a désigné en tant qu´ambassadeur à La Havane B. Summer Welles, avec la mission de trouver une sortie à la crise dans les mécanismes traditionnels de domination néocoloniale. Mais la médiation de Welles s´est vue surpassé par les événements : le 12 août Machado abandonnait le pays écrasé par une grève générale.

Le gouvernement provisionnel crée par les secteurs de droite de l´opposition sous les auspices de l´ambassadeur nord-américain survivrait qu´un mois. Un soulèvement des classes et des soldats de l´armée avec le Directorio Estudiantil Universitario et autres groupes insurrectionnels a mené au pouvoir un gouvernement révolutionnaire présidé par Ramón Grau San Martín.

Ce gouvernement, notamment par initiative d´Antonio Guiteras[8], Secrétaire de Gouvernement, a adopté et a mis en pratique de différentes mesures de bénéfice populaire, mais, devant souffrir les hostilités des Etats Unis et par l´opposition et

[8] Antonio Guiteras Holmes (1906-1935). L´un des leaders de la lutte révolutionnaire et anti impérialiste pendant l´époque des années 30, a été assassiné par la dictature Mendieta-Caffery-Batista le 8 mai à El Morrillo, Matanzas, lorsqu´il se disposait à sortir du pays afin de préparer une expédition contre ce gouvernement.

victime dans une grande mesure de ses propres contradictions internes, n´a pu se maintenir

que quelques mois dans le pouvoir. Un facteur essentiel dans la chute de ce gouvernement serait l´ancien sergent Fulgencio Batista –devenu du jour au lendemain colonel chef de l´armée- qui a exercé son influence négative dans le processus politique.

Les partis oligarchiques restaurés dans le pouvoir, en dépit de l´appui indéfectible nord-américain exprimé dans l´abrogation de l´Amendement Platt et les mesures de stabilisation économique, notamment les systèmes des quotas sucrières et un nouveau traité de réciprocité commerciale ont montré une ouverte inaptitude dans l´exercice du gouvernement.

Pour cette raison les destinées de l´état seraient régies de fait par Batista et ses militaires. Mais cette forme autoritaire s´est avérée incapable d´offrir une solution stable à la situation cubaine. Cela a conduit à une négociation avec les forces révolutionnaires et démocratiques –affaiblies par les divisions internes- qui seraient représentées dans la Constitution de 1940. Avec cette nouvelle Charte Magne, qui comprenait d´importantes revendications populaires, on a ouvert une période de légalité institutionnelle.

Le premier gouvernement de cette étape a été présidé par Fulgencio Batista dont la candidature avait été soutenue par une coalition des forces dans laquelle participaient les communistes. Cette alliance, bien qu´a reporté d´importantes conquêtes au mouvement ouvrier, n´a pas été comprise par d´autres secteurs populaires, et est devenu un facteur historique de division entre les forces révolutionnaires.

Pendant le gouvernement de Batista, la situation économique a expérimenté une amélioration favorisée par l´éclat de la Deuxième Guerre Mondiale, conjoncture qu´ allait bénéficier davantage le successeur, Ramón Grau San Martín, qui a été élu en 1944 grâce au soutien populaire qui lui ont valu les mesures nationalistes et démocratiques dictées pendant son gouvernement précèdent.

Ni Grau, ni Carlos Prío Socarrás (1948-1952) –tous les deux des leaders du Partido Revolucionario Cubano (appelé authentique) –, ont été capables de profiter de favorables conditions économiques durant ses mandats respectifs.

Les timides et restreintes mesures réformistes n´ont à peine affecté les structures de propriété agraire et de dépendance commerciale qui bloquaient le développement du pays. Néanmoins ils ont profité de la bonne situation économique reportée par la récupération sucrière pour mener à bien le pillage des fonds publics avec des ampleurs sans précédents. La corruption administrative était complémentée par les auspices de nombreux gangs, qu´ ont été utilisés par les « authentiques » pour chasser les communistes de la direction des syndicats au milieu des l´atmosphère favorable de la guerre froide. Le refus à la situation honteuse existante a été véhiculé par le mouvement civique politique de l´orthodoxie, dont le leader charismatique, Eduardo Chibás, allait se suicider en 1951 au milieu d´une polémique allumée avec des personnages gouvernementaux.

Quoique tout annonçait le triomphe orthodoxe dans les élections de 1952, les espoirs se verraient frustrés par un coup militaire. Le discrédit dans lequel l´expérience « authentique » avait soumis les formules réformistes et les institutions républicaines, ainsi que la favorable disposition vers un gouvernement de « main dure » de la part des intérêts nord- américains et de quelques secteurs de la bourgeoisie créole, on favorisé les ambitions de Fulgencio Batista, qui à la tête d´un coup militaire, a pris par assaut le pouvoir le 10 mars 1952.

Le mouvement révolutionnaire 1953-1958

L´inertie et l´incapacité des partis politiques bourgeois pour faire face au régime militaire-auquel se sont adhérés certains de ces partis-a été en contraste avec la belligérance des secteurs populaires, notamment de la jeune génération qui venait de faire éclosion à la vie politique.

De ses rangs surgi un mouvement de nouveau genre, dirigé par Fidel Castro (Birán, 1926), un jeune avocat dont les premières activités politiques s´étaient développées dans le milieu universitaire et les rangs du Parti orthodoxe . Préconisant une nouvelle stratégie de lutte armée contre la dictature, Fidel Castro s´est consacré à la préparation silencieuse et tenace de cette bataille.

Les actions se déchaîneraient le 26 juillet 1953, avec les assauts simultanés des casernes Moncada, à Santiago de Cuba et Carlos Manuel de Céspedes, à Bayamo, conçus en tant que détonateurs d´une vaste insurrection populaire.

En échouant l´opération, de dizaines des combattants qui sont tombés prisonniers ont été assassinés. D´autres survivants, parmi lesquels se trouvait Fidel Castro, ont été jugés et condamnés à de sévères peines de prison. Dans le procès suivi, le jeune leader révolutionnaire a prononcé une brillante plaidoirie d´autodéfense- connue comme L´histoire m´acquittera- dans laquelle il donne les fondements du droit du peuple à la rébellion contre la tyrannie et expliquait les causes, les voies et les objectifs de la lutte entamée. Cette plaidoirie est devenue le programme de la Révolution.

Pendant ce temps, la dictature affrontait la critique conjoncture créée par le fléchissement des prix du sucre avec la formule de la restriction de la production. Pour contrecarrer ses effets dépressifs, le gouvernement entame une mobilisation compulsive des ressources financières, que, dans une proportion appréciable, finiraient dans les coffres des agents du régime. Cependant l´encouragement de nouveaux volets productifs dans les deux décennies précédentes –l´économie cubaine– liée au sucre, n´atteignait pas encore une croissance satisfaisante. En était une évidence la masse des chômeurs et de sous chômeurs qui depuis la décennie de 1950, représentait un tiers de la force de travail du pays.

La tentative de la tyrannie pour légaliser son statut moyennant des élections trompeuses en 1954, servirait au moins pour mitiger sa rage répressive. La circonstance a été mise au profit par le mouvement des masses qu´en 1955 est montée de manière significatif et a réussi l´amnistie des prisonniers politiques- parmi eux les combattants de la Moncada– et a joué des grèves ouvrières de grande portée, surtout dans le secteur sucrier. Dans cette même année a eu lieu la fondation du Movimiento Revolucionario 26 de Julio, (Mouvement Révolutionnaire 26 Juillet) constitué par Fidel Castro et ses camarades et une année plus tard ont crée le Directorio Revolucionario, (Directoire Révolutionnaire) qui regroupait les éléments les plus combatifs des étudiants universitaires

Le pillage du trésor de la nation, la corruption dans tous les secteurs de l´administration publique et une répression qui n´avait aucun respect pour les droits des citoyens d´un régime se soutenant par la force des armes, ont été des éléments suffisants pour qu´un groupe d´officiers de carrière avec une trajectoire de service exemplaire, commence à conspirer afin de changer la situation existante. D´après des déclarations de l´un des conspirateurs pendant le procès suivi, ils avaient en tant qu´objectifs les suivants : « de rétablir les institutions démocratiques, de remettre le pouvoir à un groupe de Cubains capables et de convoquer à des élections ». Parmi eux étaient à remarquer le commandant Enrique Borbonet, le colonel Ramón Barquín et le premier lieutenant José Ramón Fernández. La conspiration, baptisée par la voix populaire Los Puros, a été avortée le 4 avril 1956.

Un autre fait qu´a préoccupé le régime de Batista a été l´assaut de la caserne « Domingo Goicuría » le 29 avril 1956. Quelques 50 hommes vers midi l'ont attaqué en essayant de s´emparer de la caserne « Goicuría ». L´immense majorité des combattants étaient des militants de l´organisation authentique (OA) et étaient dirigés par Reinold García. L´action a eu un échec total parce qu´ils ont été dénoncé et on les attendait. Le résultat de l´action a été de 7 combattants morts et il n´a pas eu des blessés, tandis que l´armée n´a pas enregistré des décès. L´assaut de cette caserne, siège du Régiment 4 de la Garde Rurale, à Matanzas, a constitué un élément qu´a encouragé les organes d´intelligence et de répression à agir avec plus d´énergie et notamment, à désarticuler, à neutraliser et à ne pas sous-estimer les groupes de conspirateurs appartenant aux « authentiques ».

Après avoir démontré l´impossibilité de toute lutte légale contre la tyrannie, Fidel Castro part vers le Mexique en vue d´organiser une expédition de libération et d´entamer la guerre révolutionnaire. De leur part les partis bourgeois de l´opposition tentent une nouvelle manœuvre conciliatrice avec Batista en quête d´une solution « politique » à la situation. L´échec finirait pour leur plonger dans le discrédit.

Le 2 décembre 1956, Fidel Castro a débarqué à la tête de l´expédition du yacht *Granma*[9] à Las Coloradas, province d´Oriente.

Deux jours avant, les combattants clandestins du Mouvement 26 de Julio, sous la direction de Frank País, avaient mené à bien, à Santiago de Cuba, un soulèvement pour appuyer le débarquement.

Étant donné que les deux actions n´ont pas coïncidé, le soulèvement a fini en échec. À la suite de l´échec de la bataille d´Alegría de Pío,

[9] Le débarquement des expéditionnaires du yacht Granma a donné lieu à la lutte guerrillera dans les montagnes le 2 décembre 1956.

qu´a provoqué la dispersion du contingent expéditionnaire, Fidel Castro et une poignée des combattants parviennent à arriver au massif montagneux de la Sierra Maestra afin d´établir la cellule initiatique de l´Armée Rebelle. Sa lettre de présentation serait, un mois plus tard, l´assaut de la petite caserne de La Plata, une action qui servira pour démentir les versions émises par la dictature sur la totale extermination des expéditionnaires.

En 1957, tandis que l´Ejército Rebelde (Armée Rebelle) naissait dans les montagnes avec une série d´actions – parmi les plus importantes le combat d´El Uvero–, dans les villes se développait avec grand élan la lutte clandestine. Le 13 mars de cette même année, un détachement du Directorio Revolucionario réalise une attaque au Palais Présidentiel à La Havane, en vue de rendre justice au tyran, mais ils échouent. Dans cette action tombait en combat José Antonio Echeverría, président de la Fédération des Etudiants Universitaires. Face aux attentats et aux actes de sabotage, la tyrannie répond avec une augmentation des tortures aux détenus et avec une vague des crimes. Dans le mois de juillet, l´assassinat de Frank País provoque une grève spontanée qu´a paralysé grande partie de la nation. Peu de temps après, en septembre, le soulèvement du poste naval de la ville de Cienfuegos met en évidence les profondes fissures au sein

des forces armées de Batista. Vers la fin de l´année, l´armée échoue dans son offensive contre les rebelles à la Sierra Maestra, où se sont consolidées en ce moment deux colonnes guerrilleras.

Au début de 1958, le mouvement révolutionnaire décide d´accélérer la chute du tyran moyennant une grève générale avec des caractéristiques d´insurrection.

À la Sierra Maestra, Fidel Castro crée deux nouvelles colonnes sous la direction des commandants Raúl Castro et Juan Almeida, respectivement, qui doivent ouvrir deux fronts guerrilleros dans d´autres zones montagneuses d´Oriente. La grève convoquée pour le 9 avril échoue avec des pertes importantes pour les forces révolutionnaires. Alors Batista pense que le moment est venu pour liquider l´insurrection et dans l´été lance une offensive avec 10 mille hommes sur la Sierra Maestra.

Dans des combats et des batailles féroces –Santo Domingo, El Jigüe, Vegas de Jibacoa, et autres–, les troupes rebelles battent les bataillons de la tyrannie qui réussissent à pénétrer la Sierra et sont forcés à la retraite.

C´est le virage définitif. Les partis de l´opposition bourgeoise, que jusqu´à ce moment ont manœuvré pour capitaliser la rébellion populaire, se sont hâtés à reconnaître l´indiscutable leadership de Fidel Castro.

Des colonnes rebelles partent vers les différents points du territoire national, parmi elles celles des commandants Ernesto Che

Guevara et Camilo Cienfuegos, qu´avancent vers la province de Las Villas. Dans cette zone il y avait déjà de différents groupes des combattants, parmi lesquels ceux du Directorio Revolucionario et du Partido Socialista Popular (Comunista) (Parti Socialiste Populaire .Communiste). Le 20 novembre, le Commandant en Chef des troupes rebelles, Fidel Castro, dirige personnellement la bataille de Guisa, qui marque le début de la définitive offensive révolutionnaire.

Dans des actions cordonnées, les déjà nombreuses colonnes du 2ème et du 3ème fronts Orientaux sont en train de s´emparer des villages proches pour fermer le siège sur Santiago de Cuba. Che Guevara, à Las Villas, prend l'un après l´autre les villages tout au long de la route centrale et prend par assaut la ville de Santa Clara, capitale provinciale, tandis que de son côté, Camilo Cienfuegos fait tomber la caserne de la ville de Yaguajay après un tenace combat.

Le 1er janvier 1959, Batista quitte le pays. Dans une manoeuvre de dernière minute, sanctifiée par l´ambassade nord-américaine, le général Eulogio Cantillo tente de créer une junte civique militaire. Fidel Castro oblige la garnison de Santiago de Cuba à se rendre et demande au peuple de faire une grève générale qui soutenue dans tout le pays, garanti la victoire de la Révolution.

LES PREMIÈRES ANNÉES

Une fois installé dans le pouvoir, le gouvernement révolutionnaire a entamé le démantèlement du système politique néocolonial. On a dissout les corps répressifs et on a garanti aux citoyens, pour la première fois depuis des années, le plein exercice de leurs droits. L´administration publique a été nettoyée et on a confisqué les biens détournés. De cette manière on a éradiqué la corruption, cette funeste pratique de la vie républicaine. Les criminels de guerre de Batista ont été jugés et condamnés, la direction corrompue du mouvement ouvrier a été balayée et les partis politiques qu´avaient été au service de la tyrannie ont été dissous.

La désignation du Commandant en Chef Fidel Castro comme Premier Ministre en février 1959 a marqué un rythme accéléré aux mesures à bénéfice populaire. Une réduction générale des loyers a été adoptée; les plages, jadis privées ont été mises à disposition du peuple pour son loisir et les compagnies qui monopolisaient les services publics ont été nationalisées.

Un point transcendant dans ce processus a été la Loi de Réforme Agraire[10], adoptée le 17 mai, éliminant les latifundia en nationalisant toutes les propriétés dépassant les 420 hectares d´extension et rendant la propriété de la terre à de dizaines des milliers des paysans, et des métayers.

Cette mesure, qu´éliminait l´un des piliers fondamentaux du domaine néocolonial a suscité la réponse agressive des intérêts affectés. Le gouvernement des Etats Unis n´avait pas occulté son mécontentement à cause du triomphe de la Révolution, et à la suite d´encourager une maligne campagne de presse, a adopté une politique d´harcèlement systématique contre Cuba, encourageant et appuyant les mouvements contre-révolutionnaires pour déstabiliser le pays.

Les entraves interposées par le Président Manuel Urrutia aux transformations révolutionnaires ont provoqué, en juillet, la démission de Fidel Castro de son poste, auquel il retournerait deux jours plus tard au milieu des manifestations de soutien populaire qu´ont déterminé la renonce du président ainsi que sa substitution par Osvaldo Dorticós. En octobre une sédition militaire est avortée à Camagüey

[10] Le programme de la Moncada commençait à s´accomplir. Les paysans sont les propriétaires des leurs terres

orchestrée par le chef de cette place, le commandant Hubert Matos, en connivence ouverte avec des latifundistes et avec d´autres éléments contre-révolutionnaires de la localité. Pendant ce temps, les nombreux actes de sabotage et du terrorisme qui augmentaient de jour en jour ont commencé à remporter des victimes innocentes.

Afin d´affronter la vague contre-révolutionnaire, on a crée les Milices Nationales Révolutionnaires et les Comités de Défense de la Révolution, des organisations que de pair avec la Fédération des Femmes Cubaines, l´Association de Jeunes Rebelles et d'autres constituées plus tard, ont favorisé une participation plus large du peuple dans la défense de la Révolution. La permanente hostilité nord-américaine s´est concrétisée dans de successives mesures acheminées à déstabiliser l´économie cubaine et à isoler le pays du reste de la communauté internationale. A cela la Révolution répond avec une politique extérieure dynamique qui élargit les relations et qui établit des accords avec des autres pays- y compris les socialistes- dans une épreuve de sa décision de briser la traditionnelle dépendance commerciale. En juillet 1960, après avoir connu la suppression du quota sucrier par le gouvernement de Washington, Fidel Castro annonce la nationalisation de toutes les propriétés nord-américaines dans l´Ile. Cette mesure serait suivie, quelques mois plus tard, de la décision de nationaliser les entreprises de la bourgeoisie cubaine qui définitivement, alignée à côtés des Etats Unis et des secteurs oligarchiques s´était dédiée à réaliser des manœuvres systématiques de décapitalisation et de sabotage économique.

Mais les agressions nord-américaines ne se sont pas limitées seulement au domaine économique. Tandis qu´ils encourageaient la création des organisations et des bandes contre-révolutionnaires de « alzados » dans les différentes régions du pays, auxquelles ils fournissaient de l´armement et autres ravitaillements, l´administration Eisenhower –qui brise les relations avec Cuba en janvier 1961– avait initié la préparation d´une brigade des mercenaires avec le but d´envahir l´Île.

L´invasion commencerait le 17 avril dans la zone de Playa Girón[11], à la suite d´un bombardement par surprise contre les bases aériennes cubaines. Dans l´enterrement des victimes de cette attaque, Fidel Castro a proclamé le caractère socialiste de la Révolution, quelque chose qu´on était en train de percevoir déjà à partir des mesures prises dans les derniers mois de 1960.

Moins de 72 heures ont été nécessaires pour que le peuple écrase la brigade mercenaire que l´Agence Centrale d´Intelligence (CIA)

[11] Girón, première grande défaite de l´impérialisme en Amérique.

avait tardée des mois à entraîner. Malgré cette défaite historique, les Etats-Unis n´a pas cessé de poursuivre son objectif d´écraser la Révolution Cubaine.

À travers le Plan Mangosta on a organisé une succession d´opérations d´agression qui n´écartait pas l´intervention militaire directe.

Cela allait conduire à une grave crise internationale au mois d´octobre 1962, lorsqu´on a connu de l´existence de l´installation des missiles soviétiques dans l´Ile. Les engagements moyennant lesquels on a donné une solution à la crise n´on pas pu mettre fin aux pratiques d´agression de l´impérialisme.

De même, l´action décidée de notre peuple, organisé dans les Milices Nationales Révolutionnaires et aussi dans les Forces Armées, a affronté les bandes armées contre-révolutionnaires. Le banditisme a été liquidé définitivement en 1965, lorsque la dernière bande organisée existant dans le pays, celle de Juan Alberto Martínez Andrades, a été capturée le 4 juillet. D´autres bandits disséminés qui tentaient d´échapper de la justice révolutionnaire ont été capturés pendant les mois suivants. Ainsi est arrivé à sa fin la guerre sale imposée au peuple cubain par l´impérialisme et les classes réactionnaires, affrontement armé qui s´est étendu durant presque six ans et qu´a affecté toutes les provinces du pays.

Dans cette guerre sale imposée par les Etats Unis, entre 1959 et 1965, 299 bandes avec un total des 3 995 effectifs ont agi dans tout le territoire national. Parmi les combattants des troupes régulières et les milices qu´ont pris part dans les opérations, plus les victimes des crimes perpétrés par les bandits, ont perdu la vie 549 personnes et beaucoup d´autres sont restées handicapées. Le pays a dû dépenser près d´un milliard de pesos dans ces difficiles années qu´a traversé l´économie nationale.

La combinaison des actions militaires conjuguées avec celles politiques et idéologiques a joué un rôle définitif dans la victoire sur les bandits. La défaite du banditisme à Cuba a démontré l´impossibilité d´obtenir la victoire dans une guerre de guérillas à l´encontre d´un peuple armé quand il est le protagoniste d´une Révolution.

Dans l´arène internationale les Etats Unis réussissaient à séparer Cuba de l´Organisation des Etats Américains (OEA) et la plupart des nations latino-américaines, à l´exception de Mexique, ont rompu les relations avec Cuba. Néanmoins, la Révolution Cubaine renforçait ses liens avec le camp socialiste et avec les pays du Tiers Monde, elle participe dans la constitution du Mouvement des Pays Non alignés et mène à bien une active politique de solidarité et de soutien envers les mouvements de libération nationale.

Une nation qui va résister décidemment toutes les agressions armées devrait aussi survivre au siège économique levé autour d´elle. Les Etats-Unis avaient supprimé tout genre de commerce avec l´Île et s´efforçait pour attirer d´autres états à un blocus si criminel. Cuba se voyait de la sorte privée des ravitaillements vitaux pour son agriculture et pour son industrie. Mais l´active solidarité de l´Union Soviétique et des autres pays socialistes, avec le tenace effort de travail et l´inventive du peuple, ont permis que l´économie nationale non pas seulement ait marché mais ait même augmenté.

Au milieu de notables difficultés économiques, on est parvenu à éliminer le chômage et à garantir à la population la satisfaction de ses nécessités fondamentales.

Une vaste campagne d´alphabétisation en 1961[12], supprimait l´ancien fléau de l´analphabétisme.

En dépit de l´exode des professionnels et des techniciens encouragés depuis les Etats Unis, exode notamment sensible dans le domaine de la santé, la création d´un service médical rural menait l´assistance médicale aux coins les plus reculés du pays.

Le système éducationnel atteint aussi pour la première fois une complète couverture nationale et un large système des bourses écolières met l´éducation moyenne et supérieure à la portée de toute la population.

La qualité de vie s´est enrichie grâce à un travail étendu de diffusion culturel, concrétisé

[12] Le 22 décembre 1961 Cuba a été déclarée Territoire Libre d´Analphabétisme

dans des éditions régulières- et généralement massives- des ouvrages littéraires, la création des troupes artistiques, la promotion du mouvement des artistes amateurs et une large production et exhibition des films pour le cinéma

Dans le même sens il se produit la généralisation de la pratique des sports, qui sera la base d´une croissante et remarquable participation des sportifs cubains dans les compétitions sportives internationales.

Un effort populaire de telle envergure n´aurait pas été possible sans une conduite politique appropriée. Depuis la première année de la Révolution, dans les bases et dans la direction des organisations révolutionnaires a lieu un processus d´intégration qui serait aussi plein des difficultés. En mars 1962, peu de temps après que Fidel Castro dénonce l´existence des déformations sectaires dans le processus de création des organisations révolutionnaires, commence la construction de ce que sera le Parti Uni de la Révolution Socialiste. Celui qui adoptera comme fondement la sélection de sa militance sur la base de l´exemplarité des travailleurs élus au sein de leurs collectifs de travail. Un moment décisif dans la concrétisation de l´unité sera la constitution du Comité Central du Parti Communiste de Cuba en 1965, en tant qu´instance maximale de la direction de la Révolution.

En 1963 avait été adoptée la stratégie de développement économique qui, prenant en considération les caractéristiques de l´économie cubaine et les perspectives commerciales avec l´URSS et les autres pays socialistes, avait comme pilier l´agriculture, dans laquelle on avait prévu de produire 10 millions de tonnes de sucre pour 1970. Cela était sans doute un formidable défi, si l´on a en considération les conditions organisationnelles, techniques et matérielles du pays. En affrontant ce défi on a assumé des distorsions. L´échec de la « zafra de los 10 millones » donnerait lieu à une révision de cette politique.

L´institutionnalisation du pays. La Guerre de tout le peuple

À partir de 1971, les organisations révolutionnaires sont revitalisées et l´institutionnalisation du pays est entamée. En tant que point culminant d´une profonde réorganisation, le Parti Communiste de Cuba mène à bien son premier congrès, après avoir soumis ses principaux documents à une large discussion populaire. Le février 1976 se fait la proclamation de la nouvelle Constitution, adoptée en plébiscite par le vote secret et direct du 95,7 pourcent de la population de plus de 18 ans. Les différentes instances du Pouvoir Populaire ont été créées, moyennant un processus basé sur le choix des délégués d´arrondissement, parmi les divers candidats proposés par les citoyens dans les réunions populaires selon la zone de résidence.

Pendant ces années on assiste à une consolidation de la position internationale de Cuba. Le rétablissement des relations diplomatiques avec le Pérou, le Panamá, et le Chili et autres pays latino-américains, brise le siège dressé par les Etats Unis pendant la décennie précédente. À la suite des accords commerciaux avec l´Union Soviétique- dont les favorables termes d´échange s´éloignaient des inégales pratiques du marché international- Cuba adhère le Conseil d´ Assistance Mutuelle Economique (CAME).

En 1976, les troupes cubaines envoyées en Afrique à la demande du gouvernement de l´Angola, contribuent à la libération de ce pays de l´intervention sud-africaine. Peu après un autre contingent cubain va participer dans la défense d´Ethiopie face à l´agression somalienne.

La tenue à La Havane de la 6ème Réunion Sommet des Pays Non Alignés en 1979, met en évidence le prestige remporté par la Révolution.

Après un bref laps de détente pendant les premières années du gouvernement du Président James Carter, les relations cubaines nord-américaines se détériorent avec l´augmentation de l´agressivité de la politique étasunienne vers la fin de dite administration.

Avec la montée à la présidence des Etats Unis de Ronald Reagan, les actions contre la Révolution se sont accrues au maximum. Le gouvernement étasunien a crée la station de radio Martí et la TV Martí, a intensifié l´espionnage contre l´Île, a réalisé des manœuvres militaires, a tenté des attaques aériens et des sanctions contre Cuba dans la Commission des Droits de l´Homme à l´ONU. Il s´est même envisagé la possibilité d´affronter une agression directe.

Cuba répond avec la mise au point du système de défense du pays et élabore la doctrine de la « Guerre de Tout le Peuple ».

Son essence est basée sur l´idée que chaque Cubain ait une place, une manière et un moyen de lutte contre la possible agression impérialiste. La préparation du peuple dans les Milices des Troupes Territoriales, les Brigades de Production et de Défense et les Zones de Défense ont freiné les intentions impérialistes de déchaîner une agression directe.

Avec la Révolution, Cuba en plus d´obtenir sa véritable indépendance et de récupérer sa dignité nationale a éliminé toute forme d´exploitation et a éradiqué la discrimination raciale et sexuelle contre la femme. À cela il faut ajouter les acquis sociaux et les significatifs progrès atteints dans le pays.

La période qui va de 1980 à 1985 a été caractérisée par les progrès et des acquis significatifs dans le développement économique et social, malgré l´augmentation systématique de l´agressivité impérialiste et des phénomènes climatologiques adverses. Cependant, à partir du 1985, ils commencent à être évidentes certaines déficiences et des tendances négatives, concernant surtout la mise en application du système de direction et de planification.

En avril 1986, le Président des Conseils d´Etats et des Ministres, Fidel Castro, a parlé de la nécessité d´entamer un processus des rectification d´erreurs et des tendances négatives qui pourrait apporter une solution aux problèmes qui freinaient et qui déformaient les principes vitaux et originaux de la Révolution Cubaine, tels que la constante participation populaire dans les décisions et les tâches, l´unité entre le développement économique et social, la création de l´homme nouveau dont avait parlé Che Guevara, le rachat des valeurs historiques, notamment de la pensée de Marti et ainsi qu'une application plus créatrice du marxisme léninisme. Néanmoins les déficiences et les insuffisances ainsi que la nécessité de mettre au point le travail de la construction socialiste, le peuple cubain avait atteint des conquêtes vraiment impressionnantes.

Dans le domaine de la santé on a réussi à créer un système intégral qui va depuis le médecin de la famille et les policliniques jusqu´aux hôpitaux spécialisés et de recherche. Ainsi, l´assistance médicale gratuite fait partie d´un réseau qui comprend toute la population depuis les crèches, l´école et le centre de travail jusqu´au foyer.

Dans le domaine de l´éducation, notre pays montre le plus grand indice d´alphabétisation en Amérique latine, avec neuf ans comme moyen de scolarité. Il n´existe pas un seul enfant sans école.

Chaque année augmente le nombre des professeurs, des chercheurs, des enseignants, des médecins et des autres professionnels universitaires.

En ce qui concerne le sport, Cuba occupe une place parmi les dix premiers pays dans le monde.

Un commentaire appart mérite le développement scientifique technique devenu un facteur vital pour la survivance de la patrie et de la Révolution.

On a établit des institutions telles le Centre d´Ingénierie Génétique et Biotechnologie. Le Centre de Recherches scientifiques, le cardio centre de chirurgie pour enfants William Soler (le plus grand du monde), le Centre d´Inmunoensayo et le Centre de Greffes et de Régénération du Système nerveux.

Une expression de ce développement c´est la création d´une équipe de résonance magnétique du système Evalimage pour la visualisation et l´analyse thermo graphique des images et le bistouri laser cubain. A Cuba on réalise des greffes des reins, de foie, de coeur et de coeur poumon. En plus on a réalisé d´importants apports à la médecine tels que le vaccin contre la méningite méningococcie, l´interféron alpha leucocytaire humain, la découverte d´une substance qui soigne le vitiligo et l´obtention d'un facteur de croissance épidermique.

Plongée dans le développement et mise au point de cette tâche se trouvait la Révolution lorsqu´il se produit l´écroulement du camp socialiste et la désintégration de l´URSS. Ces faits se sont reflétés de manière dramatique dans la société cubaine, car l´économie du pays était intégrée à cette communauté. Une telle intégration était conditionnée davantage à cause du ferré, cruel et illégal blocus que les Etats Unis ont maintenu et maintient à l´encontre de Cuba depuis les premières années de la Révolution, et qui d´ailleurs a toujours limité de manière extraordinaire la possibilité d´avoir des relations avec le monde capitaliste. En 1989, Cuba concentrait 85 pourcent de ses relations commerciales avec l´URSS et le reste du camp socialiste. Suite à cette échange on a établit des prix justes qu´évadaient l´échange inégal, caractéristique des relations avec des pays capitalistes développés. En même temps on garantissait le ravitaillement des technologies ainsi que l´obtention des crédits dans des termes satisfaisants en ce qui concerne les délais et les intérêts.

Au moment où se produit l´écroulement du socialisme en Europe et la désintégration de l´URSS, dans une période très courte, Cuba a diminué sa capacité d´achat de 8 139 millions de pesos en 1989, à 2 000 millions en 1993.

La chute du socialisme en Europe orientale et dans l´URSS, a déchaîné une grande euphorie dans le gouvernement des Etats Unis et parmi les groupes contre-révolutionnaires cubains à Miami. On s´attendait à ce que l´écroulement de la Révolution cubaine serait quelque chose d´imminent, question de quelques jours ou de quelques semaines. Ils ont même arrivée à réaliser des démarches politiques pour l´organisation et l´intégration d´un nouvel gouvernement. Cependant, les mois s´écoulaient, la crise s´élargissait, mais à Cuba il ne se produisait pas la décomposition tant attendue.

Il faut dire que depuis juillet 1989, le Commandant en Chef Fidel Castro avait mis en garde sur la possibilité de la disparition du camp socialiste et même sur la désintégration de l´URSS, et déjà en octobre 1990, il avait élaboré les directives pour affronter la Période Spéciale en temps de Paix. Celui-ci était un concept de la doctrine militaire de « la Guerre de tout le Peuple » concernant les mesures pour faire face au blocus total, les coups aériens et l´érosion systématique, ainsi qu´une invasion militaire directe.

En 1991, on réalise le 4ème Congrès du PCC où l´on analyse la situation et on définit la nécessité de sauver la Patrie, la Révolution et le Socialisme, à savoir l´œuvre que tant de sang, de sacrifice et d´effort avait coûté au peuple cubain dans plus de cent ans de lutte. Dans ce congrès on a adopte d´importants accords relatifs aux modifications de la Constitution, les statuts du Parti et on a jeté les bases d'une stratégie pour résister et pour entamer le processus de récupération.

Dans la stratégie tracée on a mis en pratique toute une série des mesures visant à obtenir l´élévation de l´efficience économique et la compétitivité, l´assainissement financier interne, des solutions à l´endettement intérieur; la réinsertion dans l´économie internationale, l´incitation à l´investissement de capital étranger, le renforcement de la entreprise étatique cubaine, condition nécessaire sans laquelle il n'y aurait pas de socialisme. On a aussi analysé la nécessité d´élargir et de mettre au point les changements économiques qu´il faudrait faire, de manière échelonnée et ordonnée.

Comme il fallait supposer, l´impérialisme nord-américain et les groupes de traîtres de Miami, obsédés devant la résistance cubaine, ont augmenté les actions pour diffamer la Révolution, la déstabiliser et pour renforcer davantage le blocus économique.

C´est ainsi qu´en 1992, le gouvernement étasunien adopte la Loi Torricelli qu´entre autres octroi au Président des Etats Unis le pouvoir d´appliquer des sanctions économiques à des pays qu´entretiennent des relations commerciales avec Cuba et interdit aux filiales des entreprises nord-américaines siégeant dans des pays tiers le commerce avec l´Île. Cette loi a constitué un pas supplémentaire dans la tentative de rendre le peuple cubain par faim.

Cependant, en dépit de la Loi Torricelli, Cuba commence à élargir son commerce, elle obtient des financements modestes pour des déterminées activités économiques et des entreprises de plusieurs nations commencent à réaliser des investissements et à établir des liaisons économiques dans le pays.

D´autre part, en février 1993, l´année le plus grave de la crise, on réalise des élections, dont les résultats démontrent nettement le soutien populaire à la Révolution: 99,7 pourcent des électeurs émettent leur voix et seulement 7,3 pourcent vote en blanc ou annule son bulletin de voix.

Cependant, la clique anti cubaine des Etats Unis fait appel encore une fois à la tentative de générer la subversion interne, des actes terroristes, des sabotages, à l´infiltration des agents de la CIA, et intensifient la propagande contre et vers Cuba. Plus de mille heures d´émissions de radio sont adressées à l´Île. Elles donnent une priorité à l´encouragement des départs illégaux du pays, surtout avec le vol des embarcations et des aéronefs.

Cet encouragement a donné lieu, en juillet 1994, à l´augmentation des vols d´embarcations de la part des personnes pressionnées notamment par la situation économique bien qu´il a eu des cas d´assassinats. Dans ces circonstances on a effectué le vol du remorqueur 13 de marzo, qu´ a été abordée par plus de 60 personnes avec l´idée de voyager aux Etats Unis. En dépit des mises en garde sur le mauvais état de l´embarcation, ils ont entrepris une fuite poursuivis par d´autres remorqueurs, l´un desquels s´est heurté au poursuivi et il s´est produit un accident. Toutes les embarcations qui se sont présentées dans le lieu ont fait de grands efforts de sauvetage mais ils n´ont pas pu empêcher le décès de 32 personnes. A partir de cet accident on a fait une grande campagne de propagande dans laquelle on accusait le gouvernement cubain d´avoir ordonné le plongement de l´embarcation.

Devant ces faits, le gouvernement cubain a décidé de ne plus empêcher les départs illégaux, ce qu´a obligé l´Administration nord-américaine à prendre place dans la table des négociations et à signer le 9 septembre 1994 un accord migratoire avec Cuba. À la suite de 36 ans, les Etats Unis se sont vus dans la nécessité de prendre des mesures pour décourager les départs illégaux vers ce pays.

En juillet 1995, à nouveau le peuple cubain a donné une contondante épreuve d´unité et de soutien à la Révolution en célébrant des élections pour choisir les délégués du Pouvoir Populaire.

Malgré la campagne déployée par la propagande réactionnaire qu´orientait l´abstention dans les comices, 97,1 pourcent des électeurs ont exercé leur vote, 7 pourcent des bulletins des voix ont été annulées et 4,3 pourcent ont été déposées en blanc. C´est à dire, plus du 87 pourcent des électeurs a exprimé leur volonté de soutien à la Révolution.

Les frustrations de la clique contre-révolutionnaire de l´exile cubain et quelques autres secteurs du gouvernement nord-américain, à la suite du mirage provoqué par l´écroulement du camp socialiste ont repris la charge maintenant avec un projet digne de l´époque de l´homme des cavernes: la Loi Helms-Burton.

Cette Loi, prévoit un blocus économique total, absolu et international. Il prétend aussi d´empêcher l´investissement étranger et de couper tout genre de financement et de ravitaillement depuis l´extérieur du pays. Il établit de différentes sanctions aux entreprises et des entrepreneurs qui puissent entretenir des relations économiques avec Cuba. En plus il légalise le soutien des Etats Unis aux groupes contre-révolutionnaires de l´Île et établit le droit de ce pays à déterminer quel genre de gouvernement, de société et de relations externes devra avoir Cuba une fois écrasée la Révolution. Finalement essaye de rendre par faim le peuple cubain et pratiquement d´annexer le pays aux Etats Unis.

À la suite d´avoir adoptée la loi dans le Congrès des Etats Unis, les groupes de l´ultra droite profitent de l´incident provoqué par l´organisation contre-révolutionnaire de Miami « Hermanos al Rescate » lorsque le 24 février 1996 sont écrasées deux avionnettes que dans de différentes occasions avaient violé l´espace aérien cubain- ce qu´avait provoqué plusieurs mises en garde au gouvernement de Etats Unis- pour exercer des pressions sur l´administration nord-américaine à signer la loi qui est entré en vigueur en août de ce même année.

Cette loi n´a pas seulement provoqué le refus de tout le peuple cubain, mais pratiquement la totalité des peuples et des gouvernements du monde, ainsi que des organisations et des institutions internationales. En sont les épreuves, parmi d´autres, les voix levées contre le blocus à l´ONU, l´accord de l´OEA en refus de la Loi Helms-Burton, las positions du Mexique et de Canada, de l´Union Européenne et du Groupe de Rio.

Cuba, en dépit des effets négatifs et de la création d´une situation plus complexe et difficile générée par cette loi a continué la mise en application de sa stratégie et plus tard, sereinement et avec fermeté, a réussi à stopper le fléchissement économique et à obtenir une relance graduelle dans les années successives.

D´autre part, on a maintenu les systèmes de santé et d'éducation ainsi que la sécurité sociale. Il n´y a pas eu un seul cubain sans abri et dans l´année 1997 le taux de mortalité enfantile a été de 7,3 pour mille naissances. L´expectative de vie dépasse les 75 ans.

En janvier 1998 on a effectué les élections aux candidats députés à l´Assemblée Nationale du Pouvoir Populaire et des délégués aux Assemblées Provinciales. 98,35 pourcent des électeurs ont voté, 1,64 pourcent des bulletins de vote ont été annulés et 3,36 pourcent ont été déposés en blanc, ce qui représente un total de 95 pourcent des voix valables.

94,39 pourcent a adhéré au « vote uni », à savoir a la candidature proposée par la Commission Nationale Electorale.

Dans ce mois se produit la visite à Cuba du Pape Jean Paul II. Tout le peuple, des croyants et des non croyants- a offert une démonstration massive d´accueil et

de respect, aussi bien dans les bienvenues que dans les messes officiées et dans toutes ses autres activités. C´est ainsi que s´est mis en évidence la fausseté des campagnes de propagande des appareils de diffusion maîtrisées par l´impérialisme, car tout le monde peut observer la liberté avec laquelle Sa Sainteté a agit en tout moment.

Conclusion, toutes les actions impérialistes et contre révolutionnaires ignorent quelque chose de vitale dans notre histoire: la capacité de résistance de notre peuple, l´intelligence et la doigté de notre direction révolutionnaire et la justesse de la lutte de ce pays par son indépendance.

LE DRAPEAU DE LA RÉPUBLIQUE DE CUBA

En 1850 a ondoyé pour la première fois à Cuba celui qui serait définitivement son drapeau national. Avec une grande simplicité et avec parfaite harmonie les trois couleurs sont combinées: rouge, bleue et blanc, pour former le drapeau cubain; trois franges bleues – les départements dans lesquels se divisait l´Île à l´époque –deux franges blanches -la force des idées indépendantistes- un triangle rouge- représentant l´égalité, la fraternité et la liberté et à son tour, le sang nécessaire versé dans les luttes pour l´indépendance- et une étoile blanche, solitaire- en tant que symbole de l´absolue liberté entre les peuples- caractérisent son beau design.

L´armoirie meublée de la République de Cuba

L´armoirie meublée nationale représente notre Île. Elle a la forme de bouclier divisé en trois corps.

Dans son corps supérieur horizontal il y a une clé dorée entre deux montagnes et un soleil naissant dans la mer, ce qui symbolise la position de Cuba dans le Golfe du Mexique entre les deux Amériques, au milieu du surgissement d´un nouvel état–.

Les franges blanches et bleues représentent la position départementale de l´Île dans l´époque coloniale et sont situées au long du corps gauche. Sur le corps droit vertical : un paysage cubain présidé par le palmier royal ou ce que serait la même chose, le symbole du caractère indomptable du peuple cubain.

L´hymne national

L´Hymne National est né à Bayamo dans le fracas de la lutte pour l´indépendance. Pedro Figueredo, après avoir composé la mélodie en 1867 a écrit, avec grand sens indépendantiste, la lettre de cet hymne de lutte avec les troupes mambisas qu´ont pris la ville en 1868.

Bayamais, courez au combat,
Que la Patrie orgueilleuse vous contemple;
Ne redoutez pas une mort glorieuse,
C'est vivre que mourir pour la Patrie.

Vivre enchaîné, c'est vivre,
Soumis aux affronts et à l'opprobre
Écoutez le son du clairon,
Aux armes, braves, courez!

CUBA. SES PROVINCES

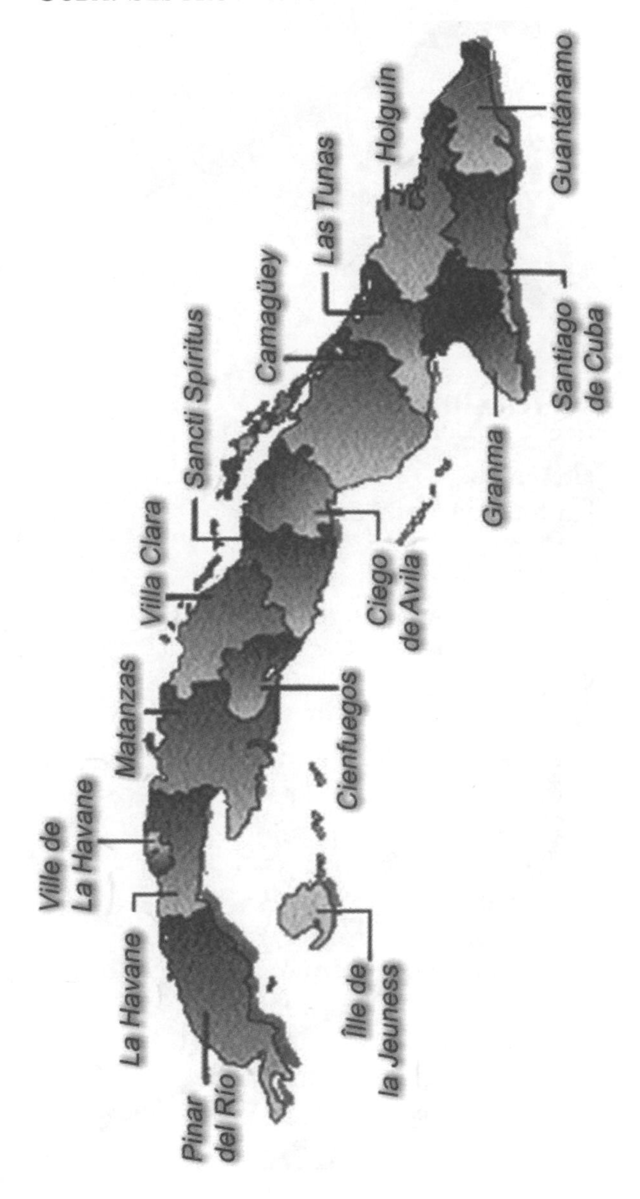

Municipalités

01 Sandino
02 Mantua
03 Minas de Matahambre
04 Viñales
05 La Palma
06 Bahía Honda
07 Candelaria
08 San Cristóbal
09 Los Palacios
10 Consolación del Sur
11 Pinar del Río
12 San Luis
13 San Juan y Martínez
14 Guane

Situation géographique: région occidentale, entre 21°54, 23°00' de latitude Nord et les 84°57', 83°00' de longitude Ouest.

Elle occupe la troisième place en extension parmi les provinces avec 10 904,03 kilomètres carrés, représentant 9,9 pourcent de la superficie totale du pays.

Limites géographiques:
Au Nord: Le Golfe de Mexique
À l´Est: La Havane
Au Sud: La Mer Caraïbe et le Golfe de Batabanó
Ä l´Ouest: Le Canal de Yucatán

Représente 6,5 pourcent de la population du pays avec 730 236 habitants, pour une densité de population de 67,0 habitants par kilomètre carré.

Fleuve plus long: Cuyaguateje
Hauteur plus importante: Pan de Guajaibón avec 700 mètres.

Géographie physique:
Le relief est caractérisé par la cordillère de Guaniguanico, divisée en 2 formations montagneuses différentes, en ce qui concerne la géologie: la serre du Rosario à l´Est, et la serre des Órganos à l´Ouest, la hauteur la plus importante est localisée dans la serre du Rosario. Son hydrographie est caractérisée par des fleuves très courts et à faible débit, tels les Cuyaguateje, Hondo, Ajiconal et San Diego; les lacunes sont nombreuses parmi lesquelles Santa María, El Pesquero, Alcatraz Grande et Algodonal; les barrages principaux sont El Salto, La Paila et Pedernales

Prédominance des sols hydromorphiques dans les zones basses, dans le reste du territoire sont combinés les ferralithiques, les bruns et les peu évolués.

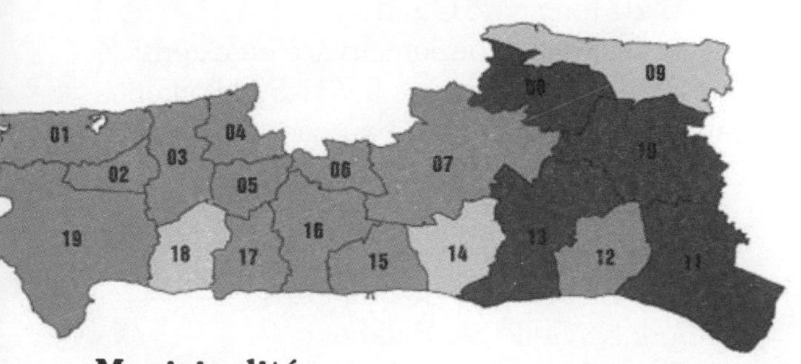

Municipalités
01 Mariel
02 Guanajay
03 Caimito
04 Bauta
05 San Antonio de los Baños
06 Bejucal
07 San José de las Lajas
08 Jaruco
09 Santa Cruz del Norte
10 Madruga
11 Nueva Paz
12 San Nicolás
13 Güines
14 Melena del Sur
15 Batabanó
16 Quivicán
17 Güira de Melena
18 Alquizar
19 Artemisa

Situation géographique: région occidentale, entre les 23°00', 23°04' et 23°08', 23°10' de latitude Nord et les 82°58', 82°32' et 82°06', 81°40' de longitude Ouest.

Elle occupe la douzième place en extension parmi les provinces avec 5 731,59 kilomètres carrés, représentant 5,2 pourcent de la superficie totale du pays.

Limites géographiques:
À l´Est : La province de Matanzas
Au Sud: Le Golfe de Batabanó
À l´Ouest: La province de Pinar del Río
Au Nord: la Ville de La Havane et le détroit de la Floride

Représente 6,6 pourcent de la population du pays avec 743 834 habitants, avec une densité de population de 129,8 habitants par kilomètre carré.

Fleuve plus long: Mayabeque
Hauteur plus importante: El Palenque con 332 mètres de hauteur.

Géographie physique:
On trouve la plaine Habana-Matanzas, les hauteurs Bejucal-Madruga-Coliseo et les hauteurs La Habana-Matanzas, son relief est ondulé. Son hydrographie est représentée par les fleuves Mayabeque, Canasí, Jibacoa, Jaruco, Santa Cruz, parmi d´autres. Prédominance des sols ferrialithiques, bruns et humiques carcimorphiques.

Ville de La Havane

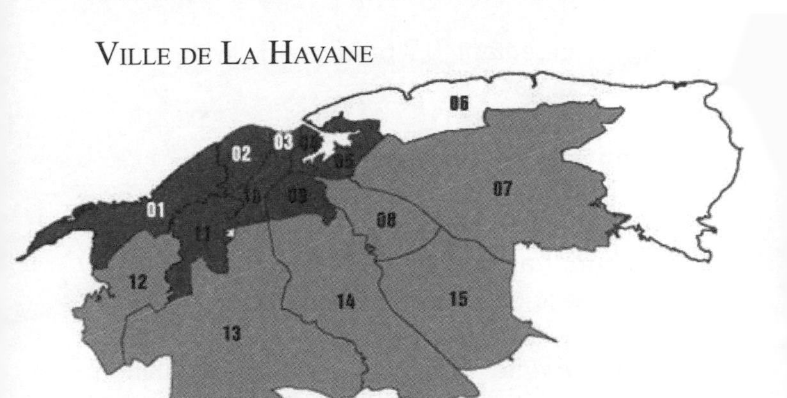

Municipalités

01 Playa
02 Plaza de la Revolución
03 Centro Habana
04 La Habana Vieja
05 Regla
06 La Habana del Este
07 Guanabacoa
08 San Miguel del Padrón
09 Diez de Octubre
10 Cerro
11 Marianao
12 La Lisa
13 Boyeros
14 Arroyo Naranjo
15 Cotorro

Situation géographique: région occidentale, entre 22°58’, 23°10’ de latitude Nord et les 82°30’, 82°06’ de longitude Ouest.

Occupe la quatorzième place en extension parmi les provinces avec 721,01 kilomètres carrés, représentant 0,7 pourcent de la superficie totale du pays.

Limites géographiques:
Au Nord: Le Détroit de la Florida
À l´Est: La province La Havane
Au Sud: La province La Havane
À l´Ouest: La province La Havane

Représente 19,1 pourcent de la population du pays avec 2 148 132 habitants, pour une densité de population de 2 979,3 habitants par kilomètre carré.

Fleuve plus long: Almendares
Hauteur plus importante: Tetas de Managua con 210 mètres de hauteur.

Géographie physique:
Son territoire est occupé par la plaine et les hauteurs de La Havane -Matanzas. Les côtes occupent toute la limite Nord, localisé à la baie de La Havane, à l´Est se trouvent ses plages. Son hydrographie est représentée par les fleuves Almendares, Martín Pérez, Quibú, parmi d´autres et les barrages Bacuranao et Ejército Rebelde. Prédominance des sols non urbanisés, fersialithiques brun rougeâtre et ferralithiques rouges, dans quelques secteurs côtiers existent des manifestations carciques.

MATANZAS

Municipalités

01 Matanzas
02 Cárdenas
03 Varadero
04 Martí
05 Colón
06 Perico
07 Jovellanos
08 Pedro Betancourt
09 Limonar
10 Unión de Reyes
11 Ciénaga de Zapata
12 Jagüey Grande
13 Calimete
14 Los Arabos

Situation géographique: région occidentale, entre 22°01', 23°15' de latitude Nord et les 80°31', 82°09' de longitude Ouest.

Occupe la deuxième place en extension parmi les provinces avec 11 802,72 kilomètres carrés, représentant 10,7 pourcent de la superficie totale du pays.

Limites géographiques:
Au Nord: Le Détroit de la Floride
À l´Est: Les provinces Villa Clara et Cienfuegos
Au Sud : La Mer Caraïbe
À l´Ouest: La province La Havane et l´anse de la Broa

Représente 6,1 pourcent de la population du pays avec 687 600 habitants, pour une densité de population de 58,3 habitants par kilomètre carré.

Fleuve plus long: La Palma
Hauteur plus importante: Pan de Matanzas avec 381 mètres.

Géographie physique:
Prédominance des plaines, occupent 80 pourcent de l´aire totale, les hauteurs apparaissent vers le Nord-Est et centre Ouest dans les hauteurs de La Havane-Matanzas, avec le Pan de Matanzas comme point culminant. Las réserves hydriques se trouvent dans la nappe phréatique, les courants fluviaux les plus importants sont le fleuve Hanábana, Canímar et Yumurí, en plus d´importantes baies. Ses sols sont fertiles et productifs consacrés à l´activité agropastorale, il y a surtout des sols ferralithiques rouges avec des petites aires d´humiques calcimorphiques et les hydromorphiques marécageux.

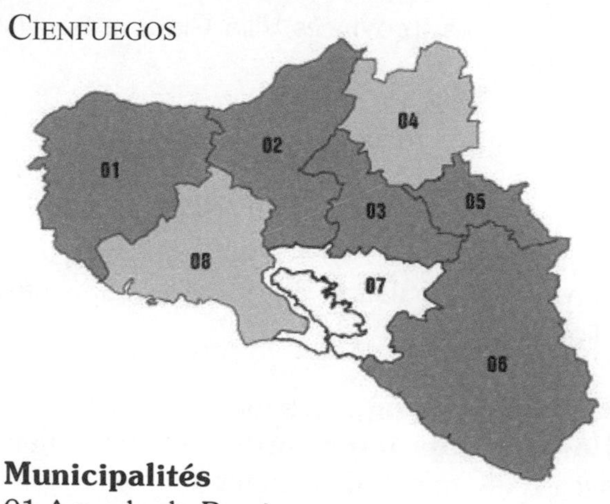

Municipalités
01 Aguada de Pasajeros
02 Rodas
03 Palmira
04 Lajas
05 Cruces
06 Cumanayagua
07 Cienfuegos
08 Abreus

Situation géographique: situé au Sud de la région centrale, entre 21°50', 22°30' de latitude Nord et les 80°06', 80°55' de longitude Ouest.

Occupe la treizième place en extension entre les provinces avec 4 180,02 kilomètres carrés, représentant 3,8 pourcent de la superficie totale du pays.

Limites géographiques:
Au Nord: Les provinces Villa Clara et Matanzas

À l´Est : Les provinces Villa Clara et Sancti Spíritus
Au Sud : La Mer Caraïbe
À l´Ouest: La province de Matanzas

Représente 3,6 pourcent de la population du pays avec 403 574 habitants, pour une densité de population de 96,5 habitants par kilomètre carré.

Fleuve plus long : Hanábana
Hauteur plus importante : Pic San Juan avec 1 140 mètres de hauteur.

Géographie physique:
Prédominance des plaines de Cienfuegos et Manacas, à l´Est les hauteurs de Santa Clara et les montagnes de Guamuhaya, où se trouves la grotte de Martín Infierno avec une stalagmites de 50 mètres de hauteur et 30 mètres de diamètre, il y a des gisements des matériels pour la construction. Son hydrographie est représentée par les fleuves Hanábana, Caunao, Arimao parmi autres, les eaux minero - médicinales et thermales Ciego Montero; la baie de Cienfuegos est remarquable par sa profondeur, son canal d´entrée étroit et sa largeur à l´intérieur.

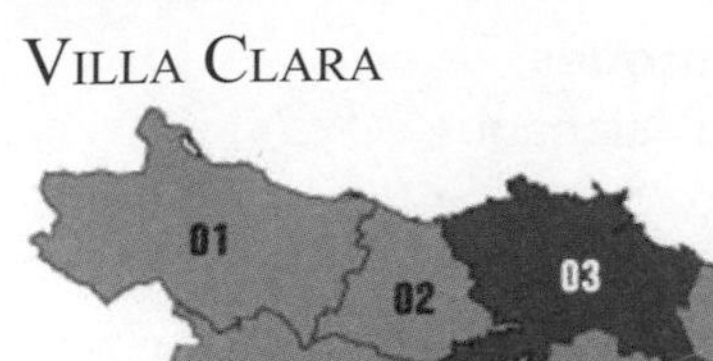

Villa Clara

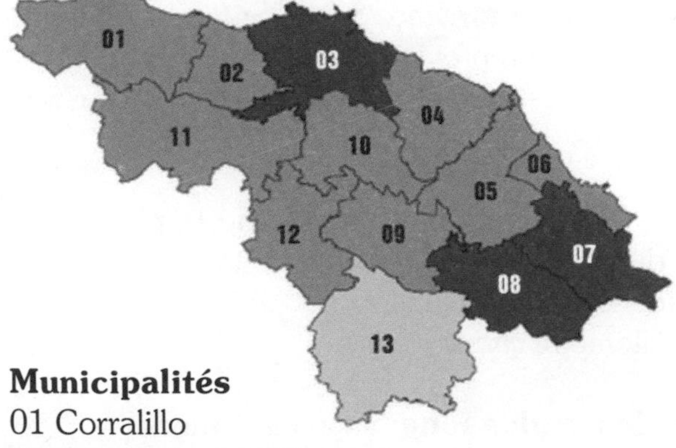

Municipalités
01 Corralillo
02 Quemado de Güines
03 Sagua la Grande
04 Encrucijada
05 Camajuaní
06 Caibarién
07 Remedios
08 Placetas
09 Santa Clara
10 Cifuentes
11 Santo Domingo
12 Ranchuelo
13 Manicaragua

Situation géographique: région centrale, entre les 22°16', 23°09' de latitude Nord et les 80°02', 80°25' de longitude Ouest.

Occupe la cinquième place en extension parmi les provinces avec 8 412,41 kilomètres carrés, représentant 7,7 pourcent de la superficie totale du pays.

Limites géographiques:
Au Nord: L´Océan Atlantique
À l´Est: La province Sancti Spíritus
Au Sud: La province Sancti Spíritus
À l´Ouest: Les provinces Matanzas et Cienfuegos

Représente 7,2 pourcent de la population du pays avec 806 144 habitants, pour une densité de population de 95,8 habitants par kilomètre carré.

Fleuve plus long: Sagua la Grande
Hauteur plus importante: Pico Tuerto avec 919 mètres de hauteur.

Géographie physique:
Le relief est caractérisé par les hauteurs du Nord de Cuba centrale, plaine de Manacas et les hauteurs de Santa Clara. Son hydrographie est représentée par les fleuves Sagua la Grande et Sagua la Chica et le barrage Alacranes. Prédominance des sols obscurs plastiques non gleyzés et brun avec carbonates et ferralithiques rouges.

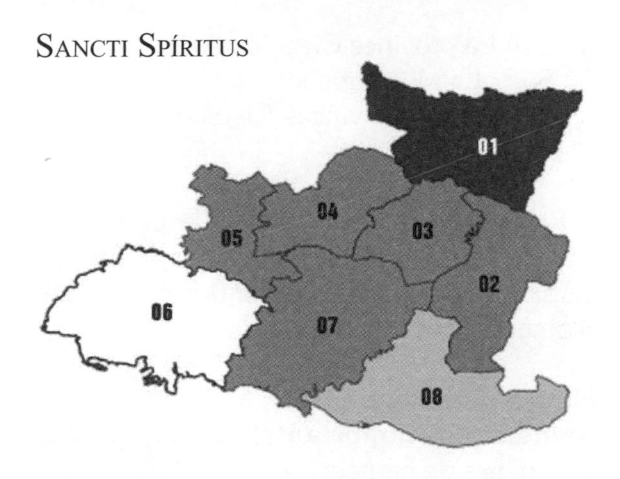

Municipalités
01 Yaguajay
02 Jatibonico
03 Taguasco
04 Cabaiguán
05 Fomento
06 Trinidad
07 Sancti Spíritus
08 La Sierpe

Situation géographique: Située dans la région centrale entre les 21°32', 2°27' de latitude Nord et les 78°56', 80°07' de longitude Ouest.

Occupe la huitième place parmi les provinces avec 6 736,51 kilomètres carrés, représentant 6,1 pourcent de la superficie totale du pays.

Limites géographiques:
Au Nord: Le Canal Vieux de Bahamas

À l´Est: La province Ciego de Ávila
Au Sud : La Mer Caraïbe
À l'Ouest: Les provinces Cienfuegos et Villa Clara

Représente 4,1 pourcent de la population du pays avec 465 019 habitants, pour une densité de population de 69,0 habitants par kilomètre carré.

Fleuve plus long: Zaza
Hauteur plus importante: Pic Potrerillo avec 931 mètres de hauteur.

Géographie physique:
Le relief présente une grande diversité, au Nord il y a une bande étroite de la plaine du Nord de Cuba Centrale, à remarquer les serres de Bamburanao et Meneses-Cueto, plus au centre on trouve les montagnes de Fomento et celles de Guamuhaya. Son hydrographie, avec les fleuves plus grands sont Jatibonico del Norte, Higuanojo, Yayabo, Jatibonico del Sur et Zaza. Prédominance des sols bruns avec carbonates et sans carbonates, ferralithiques rouges typiques et ceux hydromorphiques.

Ciego de Ávila

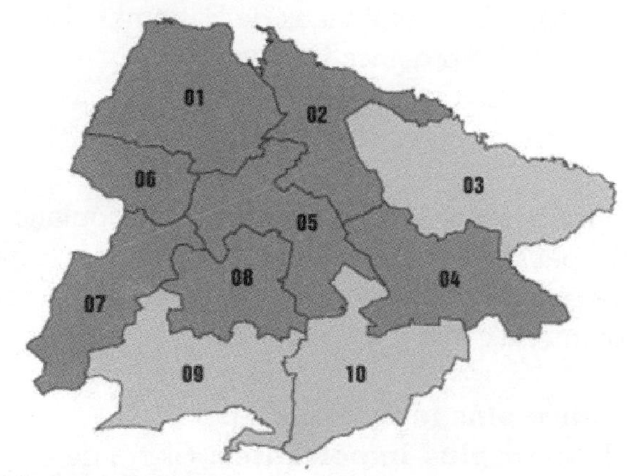

Municipalités
01 Chambas
02 Morón
03 Bolivia
04 Primero de Enero
05 Ciro Redondo
06 Florencia
07 Majagua
08 Ciego de Ávila
09 Venezuela
10 Baraguá

Situation géographique: situé à l´Est de la région centrale, entre les 20°50', 22°41' de latitude Nord et les 78°04', 79°08' de longitude Ouest.

Occupe la septième place en extension parmi les provinces avec 6 783,13 kilomètres carrés, représentant 6,2 pourcent de la superficie totale du pays.

Limites géographiques:
Au Nord: Le Canal Vieux de Bahamas
À l´Est : La province Camagüey
Au Sud: Le Golfe d´Ana María
À l´Ouest : province Sancti Spíritus

Représente 3,8 pourcent de la population du pays avec 422 354 habitants pour une densité de population de 62,3 habitants par kilomètre carré.

Fleuve plus long: Majagua
Hauteur plus importante : Sierra de Jatibonico avec 443 mètres de hauteur.

Géographie physique:
Prédominance des plaines carciques avec des hauteurs isolées, à remarquer les plaines de Sancti Spíritus, du Nord de Cuba Centrale et la serre de Jatibonico et les montagnes de Tamarindo. Son hydrographie est remarquable par les fleuves courts et à faible débit parmi lesquels Chambas, Calvario, Majagua et Itabo, les barrages les plus grands sont Chambas Uno et Chambas Dos. Prédominance des sols ferralithiques très productifs, les hydromorphiques dans les plaines et les zones basses et les bruns dans les hauteurs.

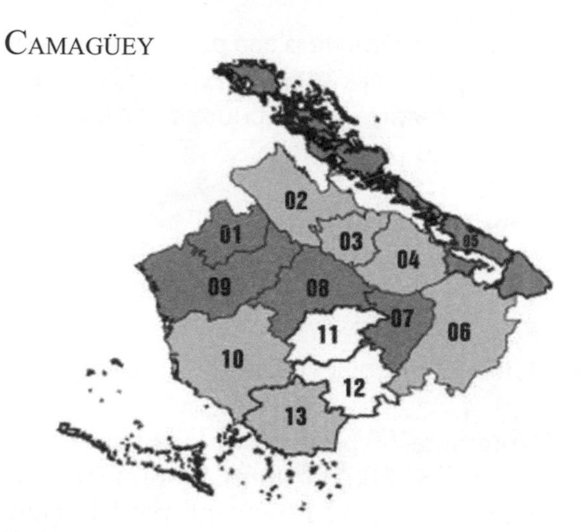

Municipalités

01 Carlos M. de Céspedes
02 Esmeralda
03 Sierra de Cubitas
04 Minas
05 Nuevitas
06 Guáimaro
07 Sibanicú
08 Camagüey
09 Florida
10 Vertientes
11 Jimaguayú
12 Najasa
13 Santa Cruz del Sur

Situation géographique: situé à l´Est de la région centrale entres les °27', 22°29' de latitude Nord et les 78°00', 78°10' de longitude Ouest.

Occupe la première place par son extension parmi les provinces avec 15 615,02 kilomètres carrés, représentant 14,2 pourcent de la superficie totale du pays..

Limites géographiques:
Au Nord: Le Canal Vieux de Bahamas
À l´Est : La province Las Tunas
Au Sud: La Mer Caraïbe
À l´Ouest: La province Ciego de Ávila

Représente 7,0 pourcent de la population du pays avec 781 605 habitants pour une densité de population de 50,1 habitants par kilomètre carré.

Fleuve plus long: Caonao
Hauteur plus importante: Cerro Tuabaquey avec 330 mètres de hauteur.

Géographie physique:
Prédominance des plaines hautes, moyennes et basses ; du nord, centre et sud de Camagüey-Las Tunas. Son hydrographie est représentée par les fleuves Caonao, San Pedro, Máximo et Saramaguacán et les barrages Jimaguayú, Porvenir, Amistad Cubano-Búlgara et Muñoz. Prédominance des sols bruns avec carbonates, humiques carcimorphiques, fersialithiques, hydromorphiques et vertisols.

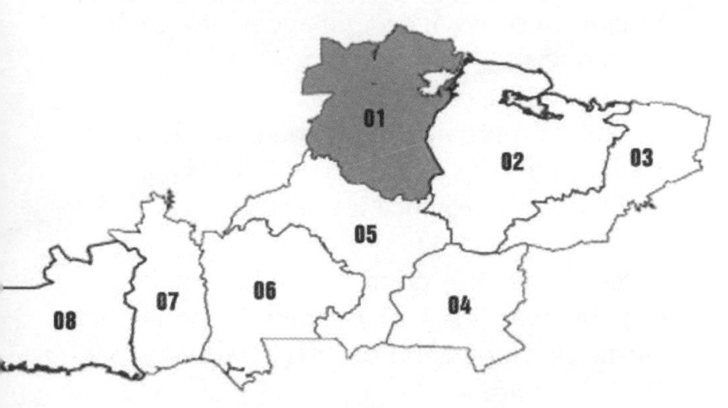

Municipalités
01 Manatí
02 Puerto Padre
03 Jesús Menéndez
04 Majibacoa
05 Las Tunas
06 Jobabo
07 Colombia
08 Amancio

Situation géographique: situé dans la région centrale entre les 20°30', 21°27' de latitude Nord et les 77°48', 76°58' de longitude Ouest.

Occupe la neuvième place en extension parmi les provinces avec 6 587,75 kilomètres carrés, représentant 6,0 pourcent de la superficie totale du pays.

Limites géographiques:
Au Nord: La province Camagüey et l´Océan Atlantique
À l´Est: La province Holguín
Au Sud : La province Granma et le Golfe de Guacanayabo
À l´Ouest: La province Camagüey

Représente 4,8 pourcent de la population du pays avec 534 279 habitants, pour une densité de population de 81,1 habitants par kilomètre carré.

Fleuve plus long: Tana
Hauteur plus importante: Alturas de Cañada Honda avec 219 mètres de hauteur.

Géographie physique:
Prédominance des plaines ; au nord, la plaine du Nord de Camagüey-Las Tunas où se trouvent les hauteurs de Caisimú, Dumañuecos, Cerro Verde, montagne Jengibre, la plaine du Sud de Camagüey-Las Tunas et la plaine du Cauto. Son hydrographie est représentée par les fleuves Chaparra, Jobabo, Sevilla, El Tana et les barrages, Juan Sáez, Las Mercedes, Gramal, Ciego et Yariguá. Prédominance des sols bruns, ferralithiques, hydromorphiques et vertisols.

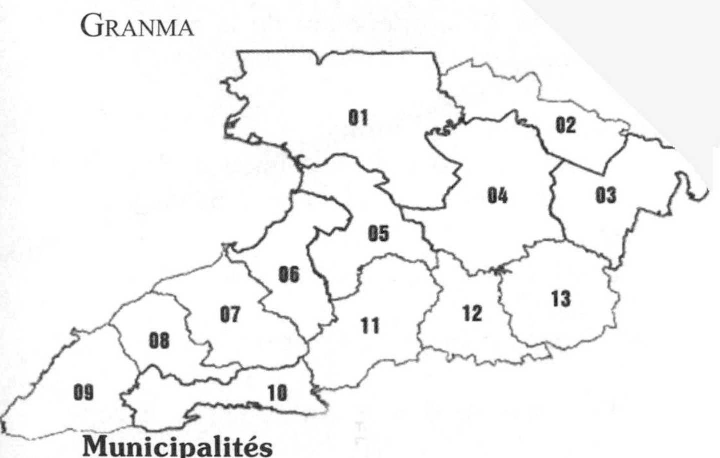

Municipalités
01 Río Cauto
02 Cauto Cristo
03 Jiguaní
04 Bayamo
05 Yara
06 Manzanillo
07 Campechuela
08 Media Luna
09 Niquero
10 Pilón
11 Bartolomé Masó
12 Buey Arriba
13 Guisa

Situation géographique: Situé au Sud-Ouest de la région orientale entre les 19°50', 20°39' de latitude Nord et les 76°22', 77°44' de longitude Ouest.

Occupe la sixième place en extension parmi les provinces avec 8 375,49 kilomètres carrés, représentant 7,6 pourcent de la superficie totale du pays.

Limites géographiques:
Au Nord: Les provinces Las Tunas et Holguín
À l´Est: Les provinces Holguín et Santiago de Cuba
Au Sud: La province Santiago de Cuba et la Mer Caraïbe
À l´Ouest: Le Golfe de Guacanayabo

Représente 7,4 pourcent de la population du pays avec 834 616 habitants, pour une densité de population de 99,6 habitantes par kilomètre carré.

Fleuve plus long: Cauto
Hauteur plus importante: Pic Bayamesa avec 1 756 mètres de hauteur.

Géographie physique:
Prédomine la plaine du Cauto et le groupe orographique de la Sierra Maestra, où sont à remarquer les pics Bayamesa et Martí. Son hydrographie est représentée par les fleuves Cauto, Limones, Gua, Yara et Hicotea et les barrages Cauto del Paso, Paso Malo, Pedregales et Buey; ses principales lacunes sont Birama, Carenas, Las Playas, parmi autres. Prédominance des sols hydromorphiques, vertisols, humiques carcimorphiques, dans les plaines et bruns dans les hauteurs.

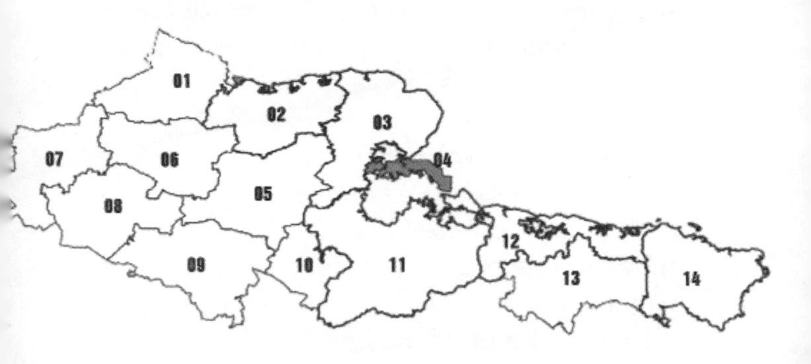

Municipalités
01 Gibara
02 Rafael Freyre
03 Banes
04 Antilla
05 Báguano
06 Holguín
07 Calixto García
08 Cacocum
09 Urbano Noris
10 Cueto
11 Mayarí
12 Frank País
13 Sagua de Tánamo
14 Moa

Situation géographique: Situé vers le Nord-ouest de la région orientale, entre les 21°15', 20°24' de latitude Nord et les 76°19', 74°50' de longitude Ouest.

Occupe la quatrième place en extension parmi les provinces avec 9 292,38 kilomètres carrés, représentant 8,5 pourcent de la superficie totale du pays.

Limites géographiques:
Au Nord: L´Océan Atlantique
À l´Est: La province Guantánamo
Au Sud: Les provinces Santiago de Cuba et Granma
À l´Ouest: La province Las Tunas

Représente 9,2 pourcent de la population du pays avec 1 036 885 habitants, pour une densité de population de 111,6 habitants par kilomètre carré.

Fleuve plus grands: Mayarí
Hauteur plus importante: Pico Cristal con 1 231 mètres de hauteur.

Géographie physique:
Prédominance des hauteurs de Maniabón, plaine du Cauto, plaine de Nipe et les montagnes de Nipe-Sagua-Baracoa. Son hydrographie est représentée par les fleuves Mayarí, Gibara, Sagua de Tánamo, Tacajó et les barrages Gibara, Cacoyugüin et Sabanilla et les baies Gibara, Banes et Nipe. Prévalence des sols fersialithiques rouge brunâtre ferromagnesial, fersialithiques bruns rougeâtre et obscur plastique gleysé.

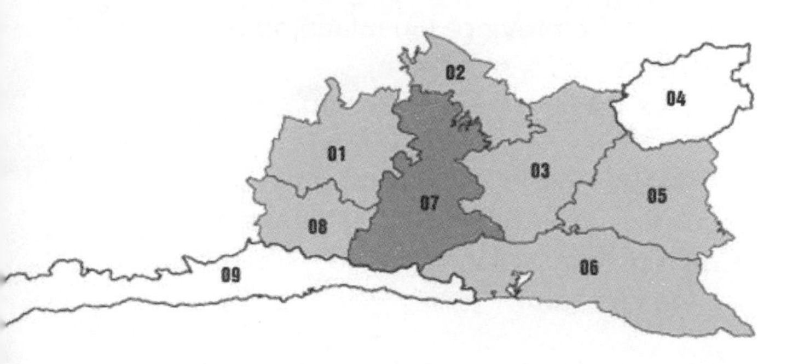

Municipalités
01 Contramaestre
02 Mella
03 San Luis
04 Segundo Frente
05 Songo–La Maya
06 Santiago de Cuba
07 Palma Soriano
08 Tercer Frente
09 Guamá

Situation géographique: Située au Sud de la région orientale, entre 19°53', 20°12' de latitude Nord et les 75°22', 77°02' de longitude Ouest.

Elle occupe l´onzième place en extension parmi les provinces avec 6 156,44 kilomètres carrés, représentant 5,6 pourcent de la superficie totale du pays.

Limites géographiques:
Au Nord: La province Holguín
À l´Est: La province Guantánamo
Au Sud: La Mer Caraïbe
À l´Ouest: La province Granma

Représente 9,3 pourcent de la population du pays avec 1 044 848 habitants, pour une densité de population de 169,7 habitants par kilomètre carré.

Fleuve plus long: Contramaestre
Hauteur plus importante: Pic Real del Turquino avec 1 974 mètres de hauteur.

Géographie physique:
Presque tout le territoire est montagneux, occupé par la Sierra Maestra et versants Sud des serres de Nipe et du Cristal, et la savane dans l´extrême orientale de la plaine du Cauto, le bassin de Santiago de Cuba et la Vallée Centrale. Son hydrographie est représentée par les fleuves Contramaestre, Guaninicum et Baconao; les barrages Protesta de Baraguá et Carlos Manuel de Céspedes et la lacune Baconao. Il y a une prédominance des sols bruns sans carbonates et fersialithiques jaunâtres.

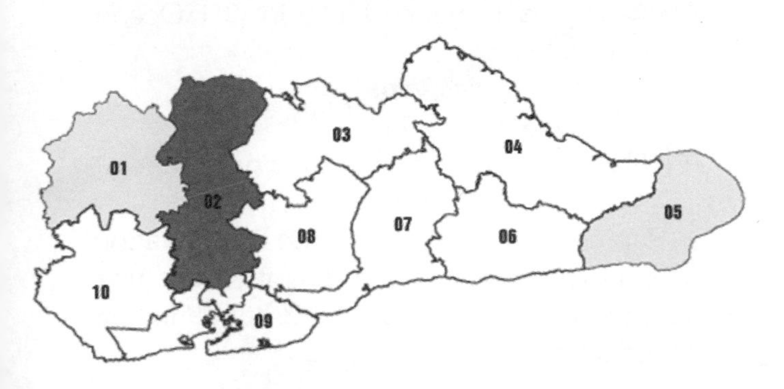

Municipalités
01 El Salvador
02 Guantánamo
03 Yateras
04 Baracoa
05 Maisí
06 Imías
07 San Antonio del Sur
08 Manuel Tames
09 Caimanera
10 Niceto Pérez

Situation géographique: situé dans la région orientale, entre les 19°54', 20°30' de latitude Nord et les 74°08', 75°30' de longitude Ouest.

Elle occupe la dixième place en extension entre les provinces avec 6 167,97 kilomètres carrés, représentant le 5,6 pourcent de la superficie totale du pays.

Limites géographiques:
Au Nord: La province Holguín et l´Océan Atlantique
À l´Est : Le Pas des Vents
Au Sud: La Mer Caraïbe
À l´Ouest: La province Santiago de Cuba

Représente le 4,5 pourcent de la population du pays avec 510 863 habitants, avec une densité de population de 82,2 habitants par kilomètre carré.

Fleuve plus long: Toa
Hauteur plus importante: Pic El Gato avec 1 184 mètres de hauteur.

Géographie physique:
Il y a une prédominance des hauteurs: les montagnes de Nipe-Sagua-Baracoa, une partie de la Sierra Maestra, les vallées de Guantánamo, Central, del Caujerí et les plaines typiques terrasses marines. Son hydrographie est représentée par les fleuves Toa, Duaba, Yumurí, Guantánamo, Guaso et Sabanalamar. La principale lacune c´est La Salada et les barrages les plus importants sont la Yaya et Jaibo. Il y a surtout des sols bruns avec des carbonates, fersialithiques et hydromorphiques dans les zones basses et marécageuses, elle possède des gisements de sel.

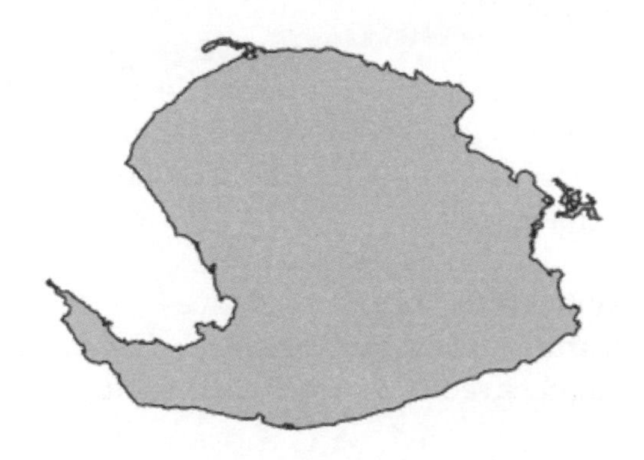

Par sa superficie, par sa population et par ses caractéristiques économiques, elle considérée en tant que la Municipalité Spéciale et elle n´est adscrite à aucune province.

Situation géographique: Situé dans le Golfe de Batabanó et au Nord de la Mer Caraïbe, dans la région occidentale, dans les 21°42' de latitude Nord et les 82°50' de longitude Ouest.

Elle occupe une extension de 2 419,27 kilomètres carrés, représentant le 2,2 pourcent de la superficie totale du pays.

Limites géographiques:
Au Nord: les eaux du Golfe de Batabanó
À l´Est: les eaux de la plate-forme insulaire, Matanzas
Au Sud: La Mer Caraïbe

À l´Ouest: les eaux de la plate-forme insulaire, Pinar del Río

Représente le 0,8 pourcent de la population du pays avec 86 110 habitants, pour une densité de population de 35,6 habitants par kilomètre carré.

Fleuve plus long: Las Nuevas
Hauteur plus importante: Sierra de La Cañada avec 303 mètres de hauteur.

Géographie physique:
Le territoire est plat, il est à remarquer la plaine du Nord de l´Île de la Jeunesse, où sont situés les serres de Casas, de Caballos et de la Cañada; et la plaine du Sud de l´Île de la Jeunesse. Son hydrographie est représentée par les fleuves Las Nuevas, San Pedro, Las Casas et Júcaro et parmi les barrages le Viet-Nam Heroico. Il y a une prédominance des sols hidromorphiques dans les côtes, vers le centre ils sont ferralithiquies et au sud humiques carcimorphiques.